https://Idee.ErlebnisErfolg.com

ERLEBNIS ERFOLG
...the fine art of success.

Hier und heute geht es mir darum, Dich für ein Geschäft zu begeistern, dessen Art, es zu tun, Dich erstaunen wird. Wir befassen uns mit Empfehlungs-Marketing in einem Evergreen-Markt und leisten uns den Luxus, es anders zu tun als üblich. Üblich sind überlaute und gigantische Parolen. Wir aber stellen den Menschen mit seinen Fähigkeiten, Visionen, Stärken und Schwächen in den Mittelpunkt. Du sollst in einem Team arbeiten, das selbst große Ziele und eine strahlende Vision hat. Und Du sollst auch mit unserer Hilfe selbst eine strahlende Zukunft erreichen.

Impressum

Bibliografische Information der Deutschen Nationalbibliothek: Die Deutsche Nationalbibliothek ver-
zeichnet diese Publikation in der Deutschen Natio-
nalbibliografie; detaillierte bibliografische Daten
sind im Internet über https://dnb.de abrufbar.

©2021+ **Hans Janotta**, diePUBLIKATIONSwerkstatt.com

Korrektorat: **Sophie Janotta**
Cover-Gestaltung: **Hans Janotta**
Buch- und eBook-Formatierung: **Bernd Uhl**, Kornkammer-Bio
Sales-Funnel-Konzeption und Umsetzung: **Dominique Dietrich**
Test-Leser: **Martin Dreher, Celina Cramm, Gerhard Krumm**
Copyright Fotos: Pixabay, Hans Janotta, FLP, Fotolia: Seite 33: Paar im Kornfeld
©drubig-photo, Seite 45: Allee ©schaltwerk, Seite 74: Having fun with Friends ©Yuri
Arcurs, Seite 92: Frau ©ArTo
QR-Codes: Vertiefungen zum Thema in Worten und Videos. **MEHR als ein BUCH**
Leser-Service und direkte Fragen an den Autor.
Herstellung und Verlag: BoD - Books on Demand, Norderstedt
ISBN: 9-783754-322871

Hinweise zur Rechtschreibung

Egal, wie man schreibt, es wird immer Menschen geben, die etwas zum Rum meckern haben. Und wenn ich mir die Regeln der sogenannten neuen deut-schen Rechtschreibung anschaue, und dann noch den Duden als angeblich wegweisendes Werk, dann habe ich etwas zum rum meckern. Wenn in einem Werk, das allgemeinverbindlich sein will, Geisteskrankheiten wie „Nichtsdes-totrotz" Platz finden, und der Unterschied zwischen einer „Alb" und einem „Alp" nicht mehr ausgedrückt wird (und vieles andere), dann ist das für mich keine Richtschnur mehr. Ebenso, die ellenlangen Komposita oder zusammen-gesetzten Verben, die nur zwei Dinge bewirken, nämlich die schlechte Lesbar-keit in einem Text und absonderliche Zeilen-Umbrüche auf eBook-Readern o-der Smartphones.

Und „Tipp" mit zwei „p ist genau so intelligent wie „Liederschipp".

ERFOLG = LEIDENSCHAFT + FOKUS
Hans Janotta

Dieses Buch wird die Leidenschaft in Dir entfachen. Und in unseren persönlichen und Team-Coachings und Sprech-Stunden werden wir dafür sorgen, dass Du deinen Fokus für die Erreichung deiner Ziele findest und hältst. Wir selbst sind immer an messbaren Resultaten interessiert; und das solltest Du auch sein.

Das Buch wird einen emotionalen Eindruck liefern, was ich unter „Hier arbeiten Freunde professionell zusammen" verstehe, und Dir die Möglichkeit geben zu entscheiden, ob das auch für deine Zukunft eine Richtlinie sein kann. Von mir bekommst Du den Eindruck in meinem Vortrag „ERLEBNIS ERFOLG" und in diesem Buch.

Wenn Du das Print-Buch liest, oder das eBook auf einem Kindle-Reader, solltest Du immer dein **Smartphone** mit **QR-Scanner** dabei haben, und sofort die Vertiefungen und meine persönlichen Botschaften anschauen. So wird nicht nur der Inhalt des Buches vollständig erschlossen, sondern Du bekommst auch einen Eindruck von mir. Dann kannst Du entscheiden, ob Du zu mir Vertrauen haben kannst.

Dazu ist ein persönliches Kennen wichtig. Mache einen Zoom-Termin.

https://ZoomEE.HansJanotta.com

WARUM SOLLTEST DU DIESES BUCH LESEN?

Beginne nie etwas Neues, ohne Dein „Warum?"
zu kennen. Und zwar dein wirtschaftliches „Warum?"
und dein Emotionales.

DIE 5 WICHTIGSTEN GRÜNDE, WARUM ICH DIESES GESCHÄFT MACHE.

Auf dieser und der nächsten Seite entscheidest Du, ob Du weiter lesen wirst, und meine Gründe auch deine sein könnten.

1. Das zweite Standbein.

Es gibt viele Menschen, die schuften sich in ihrem Job ab, egal ob angestellt oder selbständig. Dabei ruinieren sie ihre Gesundheit und ihre Motivation. Da sie an nichts anderes als Schuften gewöhnt sind, treffen sie keine Entscheidungen. Sie haben innerlich gekündigt, und wissen nicht, dass sie damit permanent gegen ihre inneren Widerstände ankämpfen. Ich würde Dir nie empfehlen, einen Geld-Job aufzugeben, um einer wagen Idee zu folgen. Aber ich habe entschieden, mit 1 Stunde pro Tag ein zweites Standbein zu bauen, und wenn es ausreichend Erträge liefert, mein Erstes neu zu durchdenken.

2. Deine Gesundheit.

Gerade wenn man jung ist, glaubt man, dass Gesundheit etwas Selbstverständliches ist. Ist es nicht! Spätestens in fortgeschrittenem Alter, aber auch bei einem harten Job, wird man merken, dass die Kraft des Körpers endlich ist. Also habe ich entschieden, mein zweites Standbein mit einem starken Gesundheits-Konzept zu verbinden.

3. Nie mehr mit Vorurteilen belastet entscheiden.

Wenn es um Entscheiden geht, vor allem um eine Entscheidung für Network-Marketing, sind Menschen voller Vorurteile. Sie entscheiden nicht, weil sie „wissen", sondern weil sie „gehört haben". Schlecht für eine gute Entscheidung! Deshalb mache ich ein Business ohne unhaltbare Versprechen, bei dem Fakten-Checks leicht machbar sind.

4. Nie mehr allein kämpfen.
Viele Menschen scheitern, weil sie allein kämpfen. Sie sind dauernd zwischen ihrer Vision und ihren Zweifeln hin und her gerissen. Sie haben keinen Gesprächs-Partner auf Augenhöhe, und treffen so falsche Entscheidungen. Ich habe entschieden, in einem Team zu arbeiten, bei dem jeder den Anderen unterstützt. Team-Partner sind nie mehr allein, können gemeinsam Fragen beantworten und Zweifel ausräumen.

5. Maximale Sicherheit.
Unsicherheit führt nie zu richtigen Entscheidungen und einer starken Performance. Sicherheit ist eine tragfähige Basis, ein Geschäft mit Ausdauer und Geduld aufzubauen. *Gesundheit* ist ein Pfeiler dieses Gebäudes; *sicher urteilen können* der zweite; *Im Team* zu arbeiten und sich auf einen stabilen Lieferanten zu verlassen, der zuverlässig bezahlt, der nächste.

Es gibt sicher noch weitere Gründe, zum Beispiel deine Gründe. All das werden wir vor deiner Entscheidung besprechen und laufend auch in den Team-Meetings diskutieren. Das wichtigste Prinzip meine Arbeit als Networker ist:

Hier arbeiten Freunde professionell zusammen.

Und das darf eben nicht nur gesagt, sondern muss gelebt werden. Genau das tue ich in meinem Team. Genau das werde ich und die anderen Team-Partner für Dich tun.

https://Challenge.ErlebnisErfolg.com

INHALTS-VERZEICHNIS

MEIN „WARUM?", DEIN „WARUM?".

MONAT 1
DIE MENSCHEN DENKEN ZU VIEL. LASS UND BEGINNEN.

Monat 2: Das Leben genießen, wo immer wir es erwischen.

Monat 3: Die Menschen haben zu viele Ideen. Den Fokus finden und halten.

Monat 4: Ein kleines Portfolio an Hilfs-Mitteln kennen lernen.

Monat 5: Hier arbeiten Freunde professionell zusammen.

Monat 6: Die richtigen Menschen zulassen und richtig behandeln.

Monat 7: Das Potential der Partner erkennen und multiplizieren.

Monat 8: Verhält sich mein Gegenüber so als ob er wirklich will?

Monat 9: Menschen folgen Vorbildern.

Monat 10: Das Potential der Partner multiplizieren.

Monat 11: Die Kraft des Teams.

Monat 12: Bei Null beginnen.

Zum Schluss.

> Am meisten überrascht mich der Mensch, denn er opfert seine Gesundheit, um Geld zu machen. Dann opfert er sein Geld, um seine Gesundheit wieder zu erlangen. Und dann ist er so ängstlich wegen der Zukunft, dass er die Gegenwart nicht genießt. Das Resultat ist, dass er nicht in der Gegenwart oder der Zukunft lebt, als würde er nie sterben; und dann stirbt er und hat nie wirklich gelebt.
>
> *Dalai Lama*

Welche Frage möchtest Du mir jetzt **zu den Inhalten** stellen? 🖉

Hier↑ notieren, hier↗ scannen und fragen. https://Leserservice.ErlebnisErfolg.com

EINBLICK
„IN 12 MONATEN EINE STRAHLENDE ZUKUNFT ERREICHEN"

*Millionen von Menschen träumen von einer besseren Zukunft. Und leider sind auch in Europa sehr viele dabei, die müssen von einer besseren **finanziellen** Zukunft träumen, weil sie angesichts ihrer leeren Geldbeutel krank geworden sind. Bieten wir ihnen das Erlebnis, sich lächelnd zurück lehnen zu können, und ihr Leben wieder zu genießen.*

Was müssen wir dafür tun? Wir müssen *nicht* große Zahlen in den Raum stellen und Menschen dazu zu animieren, uns zu folgen. Wir müssen *nicht* peinliche „Wir lieben uns alle"-Halligallis veranstalten, nach denen Menschen nach Hause schweben, und dann, allein gelassen, elend scheitern. Wir müssen *keine* unhaltbaren Versprechungen machen, die die Menschen sowieso schon nicht mehr glauben. Und wir müssen nicht über *unser* Angebot reden, sondern über Lösungen für ihre persönlichen Ziele.

Was wir tun sollten ist: Menschen ernst nehmen, zuhören, machbare Lösungen vorschlagen; heraus finden, ob diese Menschen diese Lösung wollen und können; messbare Resultate ermöglichen und erreichen. *Und dabei werde ich Dich 12 Monate persönlich führen und kostenlos coachen.* Dazu ist das Erlebnis zweier Regeln wichtig, hinter die ich nie zurück gehen werde:

Ich bin nur noch interessiert an Menschen, bei denen die Differenz zwischen Worten und Taten Null ist.

Bei uns arbeiten Freunde professionell zusammen.

Ich möchte Dir dazu ein paar Erfahrungen und Erlebnisse aus meinem eigenen Werdegang für deinen Weg mit geben.

Zunächst mal kannst Du mich über den QR-Code bei der Sonnen-Blume ein bisschen kennen lernen. Wenn wir wie Freunde zusammen arbeiten wollen, müssen wir uns mögen und wertschätzen. Ich will Dir erzählen, wie ich mangelnde Wertschätzung erlebt habe und damit umgegangen bin.

Ich bin seit sehr vielen Jahren begeisterter Hobby-Koch; war zehn Jahre im Club der kochenden Männer und habe zwei Koch-Bücher publiziert. Und meine Freunde haben es unendlich genossen, an meiner Tafel zu schlemmen. Und ich habe damals geglaubt, ich müsse meine Kochkunst in den Dienst meiner Geschäfte stellen und jeden einladen und bekochen, mit dem ich Geschäfte machen wollte. Es waren jämmerliche Deppen dabei. Und ich habe geglaubt, ich würde ihre Wertschätzung bekommen, wenn ich für sie stundenlang in der Küche stehe. Es war ein Irrtum. Sie haben sich satt gefressen, auch ein bisschen gelobt, um dann weiter ihre mit mir nicht überein stimmenden Werte zu leben. Irgendwann hat man sich dann getrennt, und ich hatte wertvolle Zeit und Energie vergeudet.

Heute weiß ich, dass es anders geht. Heute zelebriere ich meine inzwischen deutlich weiter entwickelte Kochkunst nur mit Menschen, zu denen das freundschaftliche Band schon spürbar ist. Heute will ich mit einer festlichen Tafel nichts mehr erreichen, sondern nur noch Danke sagen. Heute kann ich mit Menschen, mit denen ich freundschaftlich verbunden bin, ohne Grund feiern, und mit dieser wundervollen Energie die nächsten Business-Schritte angehen. Ich lasse sich Freundschaft zuerst entwickeln, dann biete ich ihnen den Genuss ... privat und geschäftlich.

Das in ein funktionierendes Business-Model umzusetzen, und ohne eine Gegenleistung zu erwarten, ist die Kunst der bedingungslosen Liebe. Und eine Liebe, egal ob eine Liebe zwischen Paaren oder Geschäfts-Partnern, ist zuerst mal eine tragfähige Basis für gemeinsame Geschäfte.

Heinz Erhard würde jetzt sagen: „Und noch ´n Gedicht". Ich sage Dir: „Noch ´ne Geschichte".

Ich habe in meinem Self-Publisher-Verlag Menschen unter dem Motto „Hier arbeiten Freunde professionell zusammen" versammelt. Die große Mehrheit hat nicht nur verstanden, was ich damit gemeint habe, sondern kann es auch leben und mit mir teilen. Ein paar wenige können das nicht, und man akzeptiert sich in der jeweiligen Rolle, ohne auf Freundschaft zu bestehen, oder gar ärgerlich zu werden.

Eines Tages hatte eine MITMACHexpertin in einem meiner Bücher einen Text verfasst, gegen den viele andere Sturm gelaufen sind. Teilweise wurden Stimmen laut, sie ganz aus dem Team zu entfernen. Mir ist es aber gelungen, so mit ihr zu reden, dass sie sich aus diesem Buch zurück gezogen, und einen anderen Beitrag im nächsten Buch beigesteuert hat. Und das wundervolle daran ist, dass wir danach genauso gut befreundet waren wir zuvor. Danke, liebe X.

Und genau das ist die Kunst, die wir auch gemeinsam erleben werden: So gerne und so eng zusammen zu sein, dass wir auch mal gemeinsam einen Sturm aushalten, uns danach ein bisschen schütteln und den Weg gemeinsam weiter zu gehen. Alles andere wäre im wahren Sinn des Wortes verplemperte Liebes-Mühe und äußerst unwirtschaftlich. Lass und befreundet sein und mit dieser Energie eine strahlende Zukunft bauen.

Gemäß dem Gesetz der Anziehung und Resonanz werden sowieso nur Menschen gemeinsam Resultate erzielen, deren Werte-Systeme zusammen passen. Hier ein paar meiner Überzeugungen, für die ich Dich gerne begeistern würde. Ich erzähle ich Dir gerne mehr dazu.

Zuverlässigkeit
Ich bin nur noch interessiert an Menschen, bei denen die Differenz zwischen Worten und Taten Null ist.

Ziel-Orientiertheit, Ausdauer, Geduld
Ich bin nicht mehr interessiert, etwas zu tun, sondern nur noch, etwas zu erreichen. ...wo Taten zu Resultaten werden!

Lebensfreude und Ernsthaftigkeit
In meinen Projekten arbeiten Freunde professionell zusammen.

Die Kontrolle behalten
Mich interessiert maximale Freiheit, persönlich und finanziell.

Ganzheitlichkeit
Ich arbeite mit Menschen, die ich frage: „Bist Du interessiert an Gesundheit und einem sorgenfreien Leben?" und „Bist Du bereit, dafür einmal am Tag jemanden einzuladen?" und die auf beide Fragen mit „Ja" antworten und danach nachhaltig so handeln?

Und ich bin sehr gespannt auf deine Werte.

https://Beginnen.ErlebnisErfolg.com

MONAT 1
WIR MENSCHEN DENKEN ZU VIEL.
LASS UNS EINFACH BEGINNEN.

„Denken ist Probe-Handeln."
Hans Janotta

Welche Frage möchtest Du mir jetzt zum **einBLICK** stellen? 🖊

Hier↑ notieren, hier↗ scannen und fragen. https://Leserservice.ErlebnisErfolg.com

1.1 Unsere Botschaft „Erlebnis erster Erfolg".

Es gibt Menschen, denen geht es schlecht. Es gibt Menschen, die sind nicht gesund. Es gibt Menschen, die haben großen Träume. Es gibt sogar Menschen, die setzen sich Ziele. Aber sie handeln nicht nach dem Wort von Seneca: „Nicht, weil die Dinge schwierig sind, wagen wir sie nicht, sondern weil wir sie nicht wagen, sind sie schwierig". Und sie versuchen Dinge zu durchdenken, von denen sie wenig verstehen; und verraten so ihre Träume.

Wie würde es Dir gehen, wenn wir die fruchtlose Denkerei bleiben ließen; eine ganz einfache Aufgabe übernehmen, feststellten, dass auch das Ergebnis ganz einfach zu erreichen ist; und Dich dem Erlebnis des ersten Erfolges hinzugeben?

Ich kann mich gut erinnern, wie oft ich früher in großen Veranstaltungen war, und alle Kollegen hatten zehn, zwanzig, dreißig Gäste dabei ... nur ich war allein. Das hat mach damals geschmerzt, und ich wusste sofort, dass ich damit weniger als einen Beitrag zu meinem strahlenden Leben geleistet hatte. Es schien mir damals unerreichbar, Gäste zu motivieren.

⮞ Für Dich habe ich deshalb eine ganz einfache Lösung geschaffen. Ich biete Dir und deinen Gästen eine kostenlose und regelmäßige Vortrags-Reihe zum Thema „Erlebnis Erfolg" an. Und deine Aufgabe ist es, zuerst einmal begeistert zu sein (dazu musst Du einmal teilnehmen), und dann einmal am Tag jemanden einladen. Du musst niemanden motivieren, denn das tue ich. Du musst niemanden überreden, denn das wird nicht nachhaltig sein. Du müsstest nur einmal am Tag jemanden einladen. Traust Du Dir das zu?

Ich habe Dir noch was zu erzählen: *Zu Beginn meiner Karriere als Empfehlungs-Marketer war ich sehr häufig auf großen Veranstaltungen. Die Aufgabe war immer, Gäste dabei zu haben. Klar, Wachstum gibt es nur durch Neue. Und wenn dort vor vorne schon einer die Story erzählt, warum sollte ich es tun? Regelmäßig traf ich dort Kollegen und Kolleginnen, die hatten zwanzig, dreißig Gäste dabei. Nur ich saß allein. Es war schrecklich. Was hatte ich falsch gemacht? Ich bewunderte also meine Kollegen und war traurig ob meiner Leistung. Und ... mein Geschäft wuchs nicht. Ein Jahr später hatte ich trotzdem die höchste Stufe im Bonus-Plan erreicht. Was hatte ich besser gemacht?*

Es war sehr, sehr einfach: Ich hatte aufgehört, mir Druck zu machen; hatte meine Begeisterung gepflegt und andere Menschen damit angesteckt. Und ich hatte keine komplizierten Storys erzählt, sondern *eingeladen*.

Heute weiß ich, dass viele Menschen Angst haben, zu starten, weil sie Angst haben zu scheitern; Angst vor der Blamage. Deshalb werde ich zwei Dinge für Dich tun:

1. Ich werde Dich in den Bann meiner Begeisterung holen – nicht in die Euphorie, nicht in der Traum-Tänzerei – nein in echte aus dem Herzen kommende Begeisterung, ohne zu denken.

2. Ich werde Dir eine regelmäßige Online- und Life-Veranstaltung anbieten, zu der Du ganz einfach einladen kannst. Und dort werde ich deinen Job tun, nämlich erzählen und begeistern.

Und so werden wir viele hundert oder tausend Menschen zu unseren Freunden machen. Ich freue mich darauf.

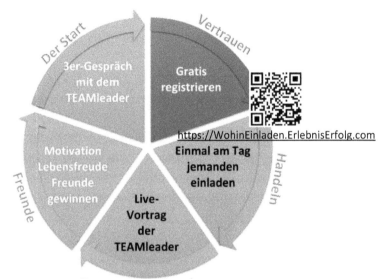

https://WohinEinladen.ErlebnisErfolg.com

Um in eine strahlende Zukunft zu führen, ist **Vertrauen** notwendig. Es ist eine meiner ersten Leistungen für Dich, genau das bei Dir zu erreichen. Dann wirst Du Dich auch ohne Angst *kostenlos registrieren* und Dich so für meine weiteren Leistungen qualifizieren. Du wirst gerne und erwartungsvoll zu meinem *Lebensfreude-Vortrag* kommen und vielleicht schon den einen oder anderen *Gast* mitbringen. Wichtig, denn so könnt ihr euch danach auf Augenhöhe austauschen. Du bist also schon ins *Handeln* gekommen. In meinem Vortrag „ERLEBNIS ER-FOLG" wirst Du *Kompetenzen* erwerben und Dir schon einiges mehr zutrauen. Jetzt steckst Du andere mit deiner Begeisterung an und wir reden gemeinsam mit ihnen. Du musst nicht alles selbst können; ich mache es für Dich – gerne 😊 Und die so als *Freunde* behandelten Gäste werden wiederum das Vertrauen haben und sich unserem Team anschließen. *Dein Erlebnis des ersten Erfolges.*

1.2 BIST DU INTERESSIERT AN GESUNDHEIT UND EINEM SORGENFREIEN LEBEN?

Das Falscheste für erste Erfolge wäre, mit wenigen Menschen viel zu reden. Das Richtigste wäre, mit vielen Menschen wenig zu reden.

Wir stellen dafür den Menschen eine ganz einfache Frage: „BIST DU INTERESSIERT AN GESUNDHEIT UND EINEM SORGENFREIEN LEBEN?". Du kannst ganz sicher sein, dass die meisten Menschen eines dieser beiden Probleme haben. Und trotzdem überfallen wir sie nicht, sondern hören zu und bieten das an, wonach sie suchen.

Hast Du schon mal Geburtstag gehabt? Und hast Du dazu schon mal jemanden dazu eingeladen? Hat das Spaß gemacht? Und war es schwer? Siehst Du, genauso einfach haben wir unser wundervolles Geschäft positioniert: Glasklar und einfach.

Und wenn Dich Gesundheit und ein sorgenfreies Leben interessieren, kannst Du nach dem Gesetz der Anziehung davon ausgehen, dass Du massenweise Menschen kennen lernen wirst, denen es genauso geht. Und schon habt ihr eine gemeinsame Story; und schon seid ihr im Gespräch. Und es wird schnell der Moment kommen, wo Du deine Einladung aussprechen kannst. Das machen wir einmal am Tag, jeden Tag, jeden Tag.

In unserem Vortrag als auch später beim Business liefern wir, was Menschen wollen: GESUNDHEIT UND EIN SORGENFREIES LEBEN.

Auch dazu fällt mir sofort eine Geschichte ein, die mein Leben geprägt hat. Wir hatten in meiner Jugend einen der typischen Eck-Ess-Tische mit Bank. Zwischen Bank-Lehne und Wand war ein ca. 5 cm breites Bord. Es war voll gestopft mit Medikamenten, die meine Mutter im

Akkord vertilgte. Schon damals war es mir ein Gräuel. Eines Tages musste ich wegen zu hohen Blutdrucks kurz ins Krankenhaus, und bekam dort Medikamente verschrieben. Glaubst Du, einer der Ärzte hätte mich gefragt, wie ich mich ernähre oder bewege? Nein, sie erfüllten einfach ihren Vertrag mit der Pharma-Industrie. Und das war dann der finale Gräuel für mich.

Ich setzte alle Medikamente aus; suchte mir natürliche Gemüse und Kräuter zusammen, die die gleiche Wirkung hatten, nur ohne Neben-Wirkungen, und begann konsequent und jeden Tag einen wundervollen Aloe-Vera-Saft zu trinken. Jeden Tag, jeden Tag, jeden Tag. Seit dieser Zeit bin ich gesund und ohne Gift.

Was habe ich wirklich getan? Ich habe mir ein Leben gemäß meinen Visionen ausgemalt. Ich habe Gesundheit als meine Verantwortung begriffen. Ich habe mir die Kontrolle zurück geholt. Ich habe nie mehr wider besseres Wissen gehandelt. Ich habe meine Rolle als Natur-Wesen wieder gelebt. Und genau das werde ich Dir zeigen. Ob es bei Dir auch funktioniert, weiß ich nicht; Du musst es ausprobieren.

https://GesundSorgenfrei.ErlebnisErfolg.com

1.3 UND WÜRDEST DU DAFÜR EINMAL AM TAG JEMANDEN EINLADEN?

Stelle nie Menschen eine Frage, die Du für Dich selbst nicht klar beantwortet hast. Mute nie Menschen etwas zu, das Du für Dich nicht erfolgreich praktiziert hast. Erinnere Dich immer, dass Menschen mit Dir auf Augenhöhe kommunizieren und nie belehrt werden wollen.

Und deshalb stelle ich Dir jetzt genau diese beiden Fragen:
Bist DU interessiert an Gesundheit
und einem sorgenfreien Leben?
Und bist Du bereit, dafür einmal am Tag
jemanden einzuladen?

In einem unserer Workshops werde ich Dir zeigen, was das Ergebnis sein kann. Und ich werde Dir vor Augen führen, wie wundervoll das Erlebnis sein wird, wenn Du das durchhältst.

„Einmal am Tag" benötigt grad mal 10 Minuten: Wenn Du Dich ausführlicher um deinen Gesprächs-Partner kümmern willst, vielleicht 20. So eine Einladung wird also in jeden beruflichen Tages-Ablauf passen und in jedes Privat-Leben. Und Du wirst feststellen, dass sich deine Ohren beginnen, genau auf dieses Thema einzuhören. Plötzlich wird die Welt voll sein von Menschen, die an GESUNDHEIT ODER EINEM SORGENFREIEN LEBEN interessiert sind. Und Du lieferst die Lösung. Sie werden Dich dafür lieben.

https://EinmalAmTag.ErlebnisErfolg.com

1.4 Das Erlebnis der fix und fertigen Bühne.

Es darf natürlich die Frage gestellt werden „Wohin einladen?". Es wird Dich nicht wundern, dass ich Dir auch dafür eine extrem einfache Lösung biete, die auch allen Beteiligten enorm Spaß machen wird.

Viele Menschen scheitern in unserem Business daran, dass sie sich zuerst einmal hinsetzen, und monate- oder gar jahrelang das Rad neu erfinden. Das ist nicht schlau, denn runder wird es dadurch auch nicht.

Bei mir gibt es eine fix und fertige Bühne, auf der zu Beginn ich auftrete, die Dir aber auch zur Verfügung stehen wird. Was ist daran so wichtig? Wichtig ist, dass Menschen Vorbildern folgen werden. Und wenn Du bei mir abschaust, wie „Vorbild" geht, dann werden sie Dich bewundern. Und genau das ist meine Mission: Menschen dazu zu bringen, dass sie wundervolle Bühnen-Auftritte zelebrieren, und von ihren Gästen dafür bewundert werden. Glaub´ mir, ich habe schon auf vielen Bühnen gestanden, und habe schon viel Applaus bekommen. Zwischen Dir und mir interessiert mich nur, dass DU den Beifall bekommst.

> ⤷ Dafür biete ich Dir eine fix und fertige Vortrags- und Event-Bühne. Bitte sehr, die Bühne ist für Dich offen.

https://Buehne.ErlebnisErfolg.com

1.5 BEGINNEN WIR UND ERLEBEN „EINFACHHEIT".

Wenn Dir Einfachheit versprochen wird, und dann die Dinge immer schwieriger werden, solltest Du Dich umdrehen und gehen. Wir lieben die Einfachheit.

Wir können diskutieren und Fragen klären. Natürlich werden keine deiner Fragen unbeantwortet bleiben. Dazu gib es unsere Social-Media-Gruppen und meine Sprech-Stunden. Es gibt aber Menschen in unserer Organisation, die haben lange wenig verstanden und trotzdem ein gutes Einkommen erreicht. Was war das Geheimnis dabei?

Das Geheimnis war, dass sie eben nichts infrage gestellt, sondern ausprobiert haben. Und das war der einzige Weg, Erfahrungen zu sammeln. Glaube nie einer Theorie; folge nie einer Euphorie; sammle Erfahrungen und bewerte sie für deinen Lebens-Traum. Ich rede heute nur noch mit Menschen, die entweder Erfahrungen haben, oder die bereit sind, sie zu erwerben.

Ich habe in meinem Leben schon viel gearbeitet und auch gute Resultate erzielt (z.B. 11 Sach- und, 2 Koch-Bücher, 3 Online-Akademien). Und daraus habe ich diese Erkenntnis gewonnen:

***Wenn Du große Geschäfte machen willst,
mache einfache Geschäfte.***

Ich zeige Dir schon im 1. Monat, wie das geht.

https://Einfachheit.ErlebnisErfolg.com

Möchtest Du noch ein paar meiner Lebens-Geschichten hören?

Was wäre schwierig daran, jetzt zum Telefon zu greifen, mich anzurufen und zu sagen: „Erzähle mir noch eine Geschichte".

Mag sein, dass ich nicht immer zu erreichen bin. Dann lass uns einen Erzähl- und Kennenlern-Termin arrangieren:

https://ZoomEE.HansJanotta.com

Was könnte das Ergebnis sein? **DAS ERLEBNIS DER EINFACHHEIT**. Und glaubst Du, es wäre gefährlich? Was wäre das Schlimmste, das Dir passieren könnte? Ok, Du könntest mich nicht erreichen. Ok, wir könnten uns nicht verstehen. Ok, deine Erwartungen könnten nicht erfüllt worden sein. Aber eines wäre ganz sicher: Du hättest auf ganz einfache Weise neue Erfahrungen gemacht. Und Erfahrungen, gekleidet in Geschichten, sind genau das, womit wir Menschen erreichen und uns mit ihnen auf Augen-Höhe begeben. Ein wundervoller erster Schritt für eine Freundschaft.

> ➲ **Tue es, schwieriger ist es nicht.**

Schwieriger ist es nie, die Einfachheit zu erleben.
Und Einfachheit ist immer die Garantie für Fortschritt.
…die Garantie für Ergebnisse.

DENKEN HILFT ZWAR, NÜTZT ABER NICHTS.
Dan Ariely

Welche Frage möchtest Du mir jetzt zum **Monat 1** stellen? ✎

Hier↑ notieren, hier↗ scannen und fragen. https://Leserservice.ErlebnisErfolg.com

https://Geniessen.ErlebnisErfolg.com

Monat 2
Das Leben genießen,
wo immer wir es erwischen

Was wollen Menschen wirklich?
Gesund, glücklich und frei sein.
Genießen wir es mit ihnen.
Hans Janotta

2.1 Dein Mindset auf „Genießen" programmieren.

Es gibt wundervolle Menschen, die scheinen die Inkarnation des Lächelns zu sein. Und es ist so angenehm, solche Menschen zu treffen; ein toller Mehrwert. Und es gibt Menschen, die scheinen das Jammern in Person zu sein. Man geht ihnen gerne aus dem Weg. Was wird wohl für ein Team-Geschäft hilfreicher sein?

Gerade in unserem Business trifft man viele Menschen, denen es nicht gut geht; die in Not sind. Und sie können sich noch so bemühen, es zu verbergen, man sieht es ihnen auf den ersten Blick an. Wie sollten wir damit umgehen, wenn sich so jemand bei uns für eine Zusammen-Arbeit bewirbt?

1. Wir sollten uns in jedem Moment im Klaren darüber sein, dass wir keine Hobby-Psychologen sondern Unternehmer sind.
2. Wir sollten schnell heraus finden, ob Jammern beim Gegenüber heilbar ist, oder ob er auf Leiden programmiert ist.
3. Wir sollten uns anschauen, und uns fragen, ob wir geeignet sind, gute Stimmung zu verbreiten und andere Menschen ins Lächeln zu führen.
4. Und dann sollten wir eine klare Entscheidung treffen, ob wir mit dem Gesprächs-Partner arbeiten wollen.

Das aller Wichtigste bei diesem Thema ist, dass wir selbst zu 100% auf Genuss fokussiert sind. Egal, ob Essen&Trinken, Cocktails, Reisen, andere Menschen, etc. Es muss uns egal sein, ob unsere äußeren Umstände gerade ein genussvolles Lächeln leicht machen. Wir werden gewinnend und genussvoll lächeln.

2.2 MENSCHEN ZUM GENIEßEN VERFÜHREN.

Wenn wir selbst hemmungslos genießen können, alles und jeden, haben wir eine gute Basis, die richtigen Menschen zu treffen. Die große Aufgabe ist dann, Menschen, denen das nicht vertraut ist, zum Genießen zu verführen.

Die Frage wird sein, wie „zum Genießen verführen" geht. Und da gibt es sicher eine ganze Reihe schlauer Coaches, die uns teure Angebote machen würden. Das ist aber nicht sinnvoll. Das würde uns wieder in die Rolle des Psychologen bringen. Und das ist nicht unser Thema beim Geschäftsaufbau. Was tun wir dann?

Ich bin bekannt dafür, dass ich nicht mehr interessiert bin, etwas zu tun, sondern messbare Resultate zu erzielen. Wenn solche Resultate erfreulich sind, haben wir ein prima Angebot für unsere neuen Geschäfts-Partner, nicht nur das „Wie?" (=Genießen) nach zu machen. Nein, wir liefern mit dem Weg zum Resultat auch das „Warum?". Es ist egal, warum ein Mensch lächelt und genießt. Die Tatsache an sich führt dazu, dass es Menschen nach machen. Und genau darauf haben wir unsere Events ausgerichtet: Bei jedem Event einen Grund spüren, zu genießen.

Du findest bei uns Cocktail-Mixes mit leckeren Ergebnissen; Geburtstags-Feiern des Teams, Impuls-Vorträge, die die Praxis des Genießens liefern; Speaker-Trainings, die nichts anderes wollen als den Applaus zu Dir zu lenken und vieles mehr. Wir reden also nicht von Genuss, wir genießen und verführen dazu.

https://Verfuehren.ErlebnisErfolg.com

2.3 GESUNDER GENUSS, DEN MAN TRINKEN KANN.

Man kann jedes Thema, entweder genießen oder schwierig machen. Man kann auch der Meinung sein: „Lass mir bloß mei´ Ruh´ mit „schwierig"". Und dann kann man sich Gedanken machen, wie „einfach" es geht, und wie „einfach" es in jeden Tages-Ablauf passt.

Unser Lieferant hat ca. 150 Produkte. Wir haben uns auf die ca. 10 Getränke spezialisiert. Dafür gibt es zwei Gründe:

2. Weil die Getränke die beste Verkaufs-Performance haben. Wir wollen ja schließlich einfache Geschäfte machen.
1. Aber in erster Linie gefällt uns an den Getränken, dass wir sie genießen können. Wir können sie sehr vernünftig jeden Tag trinken, und so unsere Gesundheit pflegen. Wir können aber auch aus allen diesen Drinks wundervolle Cocktail zaubern, und so jedem Event ein Highlight verpassen.

In beiden Fällen gilt: „**Trinken und sonst nix!**".

https://Cocktail01.ErlebnisErfolg.com

Ich habe dieses Programm so aufgebaut, dass „Trinken" einfach geht und extrem Spaß macht. Und ich werde sehr darauf achten, dass Du nicht in die „Sonst vielleicht doch noch was"-Falle tappst. Sie würde Dich behindern; ich will Dich aber fördern.

Wir haben viele wundervolle Rezepte aus unseren gesunden Drinks gezaubert. Und wir lieben sie! Du kannst ganz sicher sein, dass sie deine Kunden und Partner ebenfalls lieben werden. Gut für unser Geschäft und ein echter Dienst am Kunden.

Und Teil unseres Business ist eine Mix-Challenge, wo auch Du deine Ideen und motivierenden Drinks einbringen und online und live präsentieren kannst. Es wird Dir Spaß machen; es wird mir Spaß machen; es wird allen unseren Partnern Spaß machen; es wird deinen Gästen und Kunden Spaß machen. Und wir werden jedes Jahr die besten Rezepte in einem kleinen Geschenk-Büchlein publizieren.

https://Buch.SunnySideCocktails.de

https://Japanerin.ErlebnisErfolg.com

Du weißt ja schon, dass wir bei unserem Geschäft auf Einfachheit stehen. Und dazu habe ich noch eine schöne und trotzdem wahre Geschichte. Einer meiner Upliner erzählt mir dies:

Ich traf vor einigen Jahren auf einer Veranstaltung in den USA eine reiche Japanerin. Und ich habe sie gefragt, wie sie ihr Geschäft aufgebaut habe. Sie hat geantwortet: „Ich trinke jeden Tag 1 Liter Aloe Vera Saft". Ich entgegnete: „Das ist toll, aber wie hast Du dein Geschäft aufgebaut?". Sie sah mich an und lächelte: „Ich trinke jeden Tag 1 Liter Aloe Vera Saft". Da wurde ich etwas ungeduldig und sagte: „Ja, das habe ich verstanden, aber mir geht es ums Geschäft. Wie hast Du Geschäftspartner gewonnen? Wie hast Du sie angesprochen? Wie ins Geschäft geholt?" Sie lächelte und sagte: „Ich trinke jeden Tag 1 Liter Aloe Vera Saft".

Mehr nicht. Und mit dieser Methode hat sie 80.000 Menschen aufgebaut und zu Schluss ca. 14 Mio. pro Jahr verdient.

Diese Geschichte war für mich der Auslöser, vor einigen Jahren vieles weg zu werfen, was ich mir so ausgedacht habe, und mich genau auf diese Einfachheit zu konzentrieren. Nur wenn wir einfache Dinge einfach rüber bringen, werden sie Menschen verstehen und uns folgen. Mein Cocktail-Konzept ist nur das Sahne-Häubchen, das Lebensfreude und Genuss bedient.

2.5 Das Erlebnis „Exklusiver Genuss mit Freunden".

Es mag sein, dass es den heimlichen Genießer gibt. Aber es auch klar, dass „Genießen mit Freunden" sehr viel mehr Spaß macht und eine kraftvolle Lebensfreude erzeugt.

Bei meiner Vorstellung von Genuss kann es nur um „exklusiven" Genuss gehen. Rauchen wie ein Schlot, Saufen wie ein Loch, und einiges mehr, mag zwar mal Spaß machen, wird aber weder ein Beitrag zur Gesundheit, noch geeignet sein, massenweise die richtigen Menschen anzuziehen.

Und das ist eines der Resultate, die wir erreichen: Massenweise Menschen in einen Freude-Taumel zu versetzen.

Aber es gibt noch einen anderen Grund, warum wir auf „exklusiv" stehen, und Dich damit begeistern wollen: Exklusivität wird Dir das Gefühl geben, auf der sonnigen Seite der Straße angekommen zu sein. SUNNY-SIDE. Und nachhaltig auf der sonnigen Seite zu sein, ist ein sehr erhebendes Gefühl. Wenn wir Menschen zu erhebenden Gefühlen verhelfen, werden sie in unserer Nähe bleiben und selbst motiviert sein, andere zu begeistern. Alle diese Menschen werden sich erinnern, wer der Auslöser ihrer tollen Gefühle war. Und sie werden unser Team weiter empfehlen. So wachsen wir.

Rechne mit gemeinsamen Dinners, mit Mix-Events mit bekannten Bar-Keepern; mit Reisen zu exklusiven Orten; mit Erlebnis-Events für die persönliche Weiter-Entwicklung, mit der Publikation gemeinsamer Bücher. Und das alles immer mit unseren Business-Freunden.

**GENIEßEN IST KEINE FRAGE DES ANGEBOTES,
SONDERN NUR EINE DEINER BEREITSCHAFT.**
Hans Janotta

Welche Frage möchtest Du mir jetzt zum **Monat 2** stellen? ✏

Hier↑ notieren, hier↗ scannen und fragen. https://Leserservice.ErlebnisErfolg.com

https://IdeenFokus.ErlebnisErfolg.com

MONAT 3
VIELE MENSCHEN HABEN ZU VIELE IDEEN.
DEN FOKUS FINDEN UND HALTEN.

Unser Fokus heißt „SUNNYSIDE".
Nur noch auf der sonnigen Seite der Straße
Hans Janotta

https://Weg.ErlebnisErfolg.com

3.1 Dein Mindset auf den Weg
des geringsten Widerstandes programmieren.

Ich habe oft den Eindruck als ob sich viele Menschen damit befassen, ihre Selbständigkeit oder den Job so schwierig zu machen, wie möglich. Das werden sie natürlich bestreiten. Eines ist jedoch sicher: Wer nicht die Frage nach dem Weg des geringsten Widerstandes stellt, bekommt auch keine Antwort.

Ich will Dir, bevor wir da einsteigen, ein Bild mit geben, das viele Menschen kennen. Stell Dir vor, Du gehst auf einem Hohlweg im Wald, der fast senkrechte Böschungen links und rechts hat. Du hast keine Chance als geradeaus zu gehen. Links und rechts hoch klettern geht nicht. Während Du so gehst, wird der Weg immer schlammiger und immer weniger gangbar. Du kämpfst aber weiter; es wird immer schwerer; Du brauchst immer längere Pausen. Du hältst erschöpft inne. Was kannst Du tun? Du kannst weiter kämpfen und hast trotzdem keine Ahnung, ob dieser Weg irgend wann mal besser wird. Du kannst sinnlos weiter kämpfen. In einer der erschöpften Pausen fällt Dir dieser Buch-Titel ein: **Leben war nie als Kampf gedacht, mehr wie ein Wandern durch ein sonniges Tal, von einem Punkt zum nächsten** (Stuart Wilde). *Und das willst Du! Also kehrst Du um. Ist das sinnvoll? Klar ist es sinnvoll, denn den Weg zurück kennst Du; kannst seine Endlichkeit beurteilen; den Aufwand abschätzen. ABER!!! Du musst leider die Kraft aufwenden, den Schlamm nochmal auszuhalten.*

Ist Dir klar, was ich Dir damit sage? Du hast entschieden, den falschen Weg zu gehen, und damit eine Situation geschaffen. Die musst Du zuerst aufräumen und korrigieren, bevor Du frei bist, einen neuen Weg zu gehen. Und dabei werde ich Dir helfen. Der Weg des geringsten Widerstandes muss nicht nach vorne gehen.

Unser Weg des geringsten Widerstandes besteht aus vielen Pflaster-Steinen, die Du auch für deinen Weg begehen kannst. Und Du kannst sicher sein, dass sie funktionieren, weil wir selbst daran interessiert sind, so wenig Aufwand wie möglich für ein großes Business zu machen. Was sind unsere Pflaster-Steine?

1. Wir arbeiten mit dem Welt-Markt-Führer, der schon jetzt in 160 Ländern vertreten ist. Du wirst keine Grenzen finden.
2. Wir bedienen zwei Evergreen-Märkte mit riesigem Bedarf. a) Gesundheit und b) Geld verdienen.
3. Um uns vor dem ebenfalls riesigen Wettbewerb zu schützen, haben wir erfreuliche und exklusive Alleinstellungs-Merkmale aufgebaut. Das was wir tun, tun nur wir.
4. Bei uns gibt es keine Registrier-Gebühren und keine Investitionen; nur ein paar überschaubare Kosten für die bestellten Drinks, also für deine Gesundheit.
5. Wir haben Dir eine komplette Akquise-, Sales- und Support-Logistik erstellt. Du kannst Dich auf Menschen konzentrieren.
6. Wir arbeiten nur mit angenehmen Menschen; werden also immer einen guten Team-Spirit als Sales-Support haben.

In meinem Online-Kurs „Der Weg" befassen wir uns auch mit der Frage, ob der Weg des geringsten Widerstandes der gerade Weg sein muss. Noch ´ne Geschichte von mir:
Vor Jahren bin ich im Hochgebirge vom Serpentinen-Weg abgewichen, um wider besseren Wissens den geraden Weg nach oben zu gehen. Prompt bin ich abgestürzt und habe mir übel das Bein zertrümmert. Helikopter, Krankenhaus, mehrere Operationen, und alles was unnötig war. Der gerade Weg war nicht der des geringsten Widerstandes.

3.2 DAS ERLEBNIS DER GEMEINSAMEN KRAFT MIT MAXIMALER ANERKENNUNG.

Menschen funktionieren nicht in erster Linie vernünftig, sondern emotional. Menschen haben ihre eigenen Gefühle, auch wenn die in unserem Wirtschafts-System selten einen hohen Stellenwert haben. Menschen sind lieber stolz, anerkannt, angstfrei und glücklich als vernünftig. Und das ist eine unserer wesentlichen Stärken: Der Mensch als emotionales Wesen!

Da auch wir Menschen treffen werden, die an sich zweifeln, und sich große Aufgaben nicht zutrauen, haben wir die große Aufgabe, die heraus zu filtern, die lernfähig und lernwillig sind, und die gehen zu lassen, die immer alles besser wissen (und trotzdem in Not sind und kämpfen).

Ich weiß, dass ich auf der Bühne gut bin, egal ob online oder live. Und ich weiß auch, wie gigantisch es sich anfühlt, den Beifall eines ganzen Saales zu spüren. Selbst nach über 40 Jahren Selbständigkeit läuft es mir noch immer warm den Rücken runter, wenn ich in lächelnde Gesichter im Saal schaue, oder gar „standing ovations" entgegen nehme. Und wenn ich als Trainer exzellentes Feedback bekomme, lächelt es in mir auch. Aber das ist mir erst in zweiter Linie wichtig.

In erster Linie ist mir wichtig, dass Du auf der Bühne stehst; dass Du den Applaus von Freunden bekommst: dass Du anerkannt bist und stolz sein kannst. Dazu werden wir Dir ein Speaker-Training anbieten (für Team-Mitglieder gratis), und werden nicht ruhen, bis Du alle deine Unsicherheiten hinter Dir gelassen hast, und Dich als Dankeschön vor dem tobenden Saal verneigst.

Ein gutes Einkommen kann man erträumen, man kann es kalkulieren, man kann es anzweifeln. Man kann es aber auch erleben. Und das ist es, das in uns das Gefühl von Erfolg erzeugen wird.

Es gibt viele Network-Unternehmen, die mit den Villen und Ferraris der Großen werben? Wie peinlich! Es gibt viele Unternehmen, die solche großen Einkommen in den Vordergrund stellen, ohne zu sagen, dass es nur wenige Partner geschafft haben? Wie unverantwortlich! Es gibt viele Hobby-Networker, die mit Menschen über hohe Einkommen reden, ohne gefragt zu haben, was sich Menschen erträumen oder vorstellen? Wie sinnlos!

Genau das tun wir nicht. Wir fragen unseren neuen Freund, was er sich an Einkommen vorstellt. Stell´ Dir vor, er erreicht das. Glaubst Du, wir müssten ihm noch erzählen, wie er den Betrag verdoppelt? Oder vervierfacht? Nein, er hat schon das Erlebnis des Traum-Einkommens, und weiß, was er dafür getan hat.

Und den nächsten Unsinn im Business vermeiden wir nicht nur, sondern hassen ihn. Wir reden nie über Qualifikationen, sondern nur darüber, was wir jeden Tag tun sollten. Daraus werden Qualifikationen von selbst entstehen, ohne dass wir Garagen voller Waren erzeugen müssen. Wir verbieten unseren Partnern, mehr zu kaufen als sie für sich brauchen. Und so entsteht ein organisches Erlebnis unseres Erfolges.

https://Rendite.ErlebnisErfolg.com

Menschen sind selten visionär, vor allem in unserem Wirtschafts-System. Oft wird eine Vision mit Träumerei verwechselt. Damit geben Menschen eine riesige Kraft aus der Hand.

In einem unserer Kurse (gratis für Partner) reden wir über Pläne, Ziele, Visionen, Träume und … noch etwas Starkem. Ich werde Dir zeigen, warum eine Vision so wichtig ist, und wie eine Vision sein muss, damit sie das geheimnisvolle Unbekannte bedient. Und dieses Unbekannte wird der Motor für deinen Erfolg sein.

Jeden Morgen, bevor ich mich an den Schreibtisch setze, und jeden Abend, bevor ich das Licht aus mache, gebe ich mich meinen Visionen hin. Und jedesmal bekomme ich einen Impuls für meinen Weg. Und jedesmal liefert mir mein Unter-Bewusstsein die Bestätigung, auf dem richtigen Weg zu sein. Wir werden nicht viel Zeit dafür aufwenden, Dir das beizubringen; aber wir werden dafür sorgen, dass Du die Kraft deiner Vision erlebst, und dass Du dir sagen kannst: „Ich gönne mir das schönste aller Leben".

Wenn Du diese Lebens-Aufgabe erledigt hast, wirst Du auch wissen, wie Du mit wuchernden Ideen umgehst. Und Du wirst wissen, welche Idee hilfreich ist und welche eine Behinderung. Jedesmal, wenn mich heute eine Idee anfällt (und es sind viele), frage ich sie: „Welches Recht hast Du, mich zu belästigen?". Und wenn sie mir sagt „Ich bin Teil deiner Vision" oder „Ich mache Spaß", hat sie eine Chance, auf meinem Plan zu landen.

https://SehnsuchtVisionPlan.ErlebnisErfolg.com

3.5 Das Erlebnis eines entlasteten Hirns.

Unser Hirn hat scheinbar unbegrenzte Speicher-Kapazität und unendlich viele gespeicherte Gedanken. Wenn wir uns aller bewusst wären, würden wir verrückt. Also befassen wir uns mit dem Bewusstsein, also 5% unserer Hirn-Kapazität. Aber auch das würde zum Durchdrehen reichen. Was tun?

Ich sage Dir jetzt etwas sehr Erstaunliches und sehr Unbequemes: Die große Mehrheit der Networker hat nichts Besseres zu tun als ein einfaches Geschäft möglichst kompliziert zu denken und es dann auch so zu tun. Und das ist einer der Gründe, warum sie nie auf einen grünen Zweig kommen. Wir wollen aber den grünsten aller Zweige erreichen!

⊃ Also werden wir konsequent bis stur darauf bestehen, nur die wenigen einfachen Dinge zu tun, die für wirklichen Erfolg nötig sind. Wir werden keine Idee in die Welt setzen, die sich als komplizierter Schuft erweist. Wir werden das Programm „Nur eine Stunde pro Tag" nicht damit belasten, Unnötiges und Kompliziertes zu tun.

Lieber werden wir uns mit Dir irgendwo in einer Eis-Diele oder einen Bier-Garten treffen, und uns gemeinsam daran freuen, dass wir uns begegnet sind.

Wir werden immer und überall interessiert sein, ein entlastetes Hirn zu erleben, uns daran zu freuen, und daraus neue Kraft zu schöpfen. Punkt.

AN IHREN RESULTATEN SOLLT IHR SIE ERKENNEN.
Hans Janotta

Welche Frage möchtest Du mir jetzt zum **Monat 3** stellen? 🖊

Hier↑ notieren, hier↗ scannen und fragen. https://Leserservice.ErlebnisErfolg.com

MONAT 4
EIN KLEINES PORTFOLIO AN HILFSMITTELN KENNEN LERNEN.

„Perfektionismus schafft mit größt möglichem Aufwand größt mögliche Distanz."
Hans Janotta

4.1 UNSERE BERÜHMTE GRÜNE PYRAMIDE.

Ein Geschäft, das komplizierte Werkzeuge braucht, ist kein einfaches Geschäft. Die Hilfsmittel, die wir für Dich haben, dienen der Strategie und einer einfachen Business-Organisation.

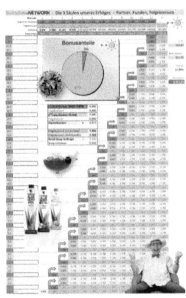

Unsere berühmte grüne Pyramide enthält alles, was Du für einen einfachen und transparenten Geschäfts-Aufbau brauchen wirst.

Voraussetzungen
Gesundheits-Ausgaben
Kunden-Behandlung
Partner-Behandlung
Akquise-Ziele pro Monat
Registrier-Volumen
Folgekonsum
Steigerung der Erträge
Ziel-Einkommen in 12 Monaten
Qualifikation für die höchste Stufe

Das alles sollst Du jetzt nicht im Detail erkennen. Wir werden es Dir spätestens im 4. Monat unserer Challenge im Detail vertraut machen. Und werden dafür sorgen, dass Du siehst, dass mehr nicht nötig ist. Ein paar weitere Hilfsmittel, wie Online-Termine, Buchhaltung und Visitenkarten werden das Erlebnis der Einfachheit nicht schmälern. Und genau das wollen wir für Dich.

https://Pyramide1.ErlebnisErfolg.com

4.2 Die Angebote unseres Lieferanten.

Du brauchst keine 150 Produkte, um deinen Erfolg zu bauen. Du brauchst die wenigen Produkte, die unserer Strategie entsprechen, oder die Du selbst wählst. Es sollten nicht es mehr als 10 Produkte sein. So kannst Du einfache Botschaften formulieren.

Einer der großen Fehler beim Einstieg in ein Network-Geschäft ist zu glauben, dass Du alle Produkte im Angebot kennen und beherrschen musst. In einem persönlichen Gespräch werden wir deine Vorlieben heraus finden; Du kannst mit dem zu Dir passenden Produkt-Portfolio beginnen, und mit unserer Unterstützung.

Natürlich werden wir Dir unseren Vorschlag vorstellen, und Dir zeigen, warum das der einfachste Weg zum Erfolg ist. Und nur den werden wir Dir mit vollem Herzen empfehlen, denn nur so wirst Du schnell und sicher ein gutes Einkommen erleben.

Alle unsere Erlebnis-Konzepte haben die seit 5.000 Jahren berühmte Aloe Vera als Basis. Wir müssen darüber nicht diskutieren. Du musst nur bereit sein, die gleichen wunderbaren Erlebnisse zu wollen, wie wir sie schon haben.

https://AcemananPeuser.ErlebnisErfolg.com

Ein modernes Unternehmen wird eine funktionierende Organisations-Struktur bieten, aber auch sehen, dass sich die Welt in den letzten 20 Jahren gewandelt hat. Mag sein, dass ältere Menschen den Postweg bevorzugen, und junge Menschen den Online-Weg. Wir bieten Dir beides.

Das wichtigste beim Registrieren eines Menschen, der schon Blut geleckt hat ist, so schnell zu sein, dass er seine Ungeduld sofort zufrieden gestellt sieht. Lasse nie zu, dass ein angewärmter Mensch wieder abkühlt. Glaube mir, der hat viele andere Dinge im Kopf als Dich. Mag die Botschaft noch so aufregend sein. Unser Ziel muss es immer sein, SOFORT Erlebnisse zu erzeugen, sofort Menschen zeigen, wie einfach Resultate zu erzielen sind.

Die Frage, die häufig kommt, ist: „Was kostet eine Registrierung?". Ein seriöses Unternehmen weiß, dass es nach europäischem Recht verboten ist, Geld für eine Registrierung zu nehmen. Und genauso ist es bei uns ... kostenlos. Wenn Du Dich bei der METRO registrierst, füllst Du auch einen Antrag mit deinen Daten und deiner Bank-Verbindung aus, ohne irgend eine Einkaufs-Verpflichtung einzugehen. Und genau so hat ein seriöses Network-Unternehmen zu funktionieren. Und genau so funktioniert unser Liefer-Partner.

Natürlich musst Du die Produkte, die Du für deine Gesundheit bestellst, bezahlen. Aber auch das, ohne jegliche Verpflichtung. Wenn es Druck gäbe, würden wir mit diesem Partner nicht arbeiten.

4.4 DEIN PARTNER-PROFIL
UND DER PARTNER- UND KUNDEN-SHOP.

Menschen Produkte zu empfehlen und Sie anzuregen, diese auszupro-
bieren, muss extrem einfach sein. Bei uns hat jeder registrierte Partner
einen eigenen Online-Shop, über den er selbst bestellen kann ... also Du
deine Produkte und jeder deiner Partner seine.

Es gibt bei uns zwei mögliche Shops: Einen Partner-Shop mit Einkaufs-Rabatt und einen Kunden-Shop mit vollem Preis. Du wirst schnell erkennen, warum welcher der beiden Shops wichtiger ist als der andere. Und wir werden Dir zeigen, was die richtige Vorgehensweise ist, Stammkunden aufzubauen und zu binden. Das Verfahren, wie wir es tun, ist nie Druck, ist nie Pflicht, ist immer die Lust am Erlebnis der eigenen Weiter-Entwicklung. Und genau das werden wir zu Beginn für Dich tun: Deine neuen Partner ausbilden und führen. Du wirst dich schrittweise selbst dafür qualifizieren, denn Du weißt ja: „Wenn Du große Geschäfte machen willst, mache einfache Geschäfte".

Und am einfachsten für Dich ist, an unserer 20-jährigen praktischen Erfahrung mit diesem Geschäft zu profitieren.

Wenn Du das wirklich beherzigt, ist das komplizierteste an diesem Geschäft, dass Du es aushalten musst, dass unser Lieferant seit mehr als 40 Jahren zuverlässig und pünktlich die Provisionen bezahlt. ... Und Du musst sie nur noch entgehen nehmen und deiner Buchhaltung und deinem Lebens-Genuss zu führen.

4.5 DAS ERLEBNIS „WENIG WISSEN, UM DEINE STÄRKEN ZU LEBEN".

Deine Stärken sind in Dir angelegt, egal ob Du sie nutzt oder brach liegen lässt. Und wenn es wirklich um deine Stärken geht, dann musst Du dazu nichts mehr lernen; Du musst sie einfach anfangen im Sinne deiner Lebens-Erlebnisse einzusetzen.

Es gibt dort draußen so viele Menschen, die beschließen bei jeder neuen Entscheidung, jahrelang die Schulbank zu drücken, um dem Mythos des lebenslangen Lernens zu folgen. Das tun sie, um sich ihre Hände nicht mit echtem Erfolgs-Leben dreckig zu machen. Und was sind die wahren Gründe dafür? Sie zweifeln an sich. Sie sind es nicht gewohnt, kraftvolle Entscheidungen zu treffen. Sie wissen nicht, wie es geht, den Fokus zu finden und zu halten. Sie sind extrem unsicher.

Das einzige, was sie wirklich tun sollten ist, sich auf ihre echten Stärken zu besinnen. Dabei werden wir an deiner Seite stehen. Und wenn sich heraus stellen sollte, dass dieses Geschäft nicht deinen Stärken entspricht, werden wir Dir raten, es nicht zu tun. Es wäre sonst ein schwieriger Weg ohne Ergebnis.

Nimm einfach heute dieses an Bord deines Lebens-Schiffes:

* Du weißt alles, was Du für ein erfolgreiches Leben brauchst.
* Du solltest rasch den Mut haben, an Dich zu glauben.
* Du solltest lernen, richtig Entscheidungen zu treffen.
* Du solltest einem Coach vertrauen, der nur interessiert ist, dass Du deine Stärken und ihre Resultate erleben kannst.
* Höre auf zu lernen; komme ins Tun.

Und auch dazu hatte ich zu Beginn meiner Karriere ein schönes Erlebnis. *Eines Tages hatte ich ein Live-Seminar. Ich hatte die Gäste mit ei-*

nem Cocktail begrüßt, meinen Vortrag gehalten, mit den Menschen geredet. Es war eine gelungene Veranstaltung. Auf dem Weg nach draußen begleitete mich eine meiner Zuhörerinnen, und sagte: „So wie Sie werde ich das nie können, ich kann einfach nicht reden". Ok, ich gebe zu, dass ich mit Reden auf Bühnen viel Erfahrung habe, aber meine Antwort war eine andere. Ich sagte: „Wissen Sie, wenn Sie versuchen, mich zu kopieren, werden Sie scheitern. Sie haben ihre Wesens-Merkmale und ich habe meine. Wir werden nur Menschen erreichen, die unseren Wesens-Markmalen entsprechen. Und die laufen alle draußen rum; wir müssen sie nur finden. Versuchen Sie nicht, zu kopieren, sondern fangen Sie an, ihre Fähigkeiten wert zu schätzen, und reden mit Menschen, mit denen die Frequenz überein stimmt".

⮕ Und als sie mich fragte, was sie reden sollte, gab ich ihr eine CD mit einer 15-Minuten-Präsentation, die unser ganzes Geschäft vorstellte, und sagte zu ihr: *„Schauen Sie sich diese CD eine Woche lang jeden Tag an. Danach werden Sie sie auswendig können. Mehr müssen Sie nicht wissen, um einzuladen.*

Das war alles, und mit unserer Strategie wird es auch nicht mehr werden. Alles, was Du brauchst, ist schon in Dir angelegt. Du kannst es leicht abrufen, wenn Du Dir selbst vertraust. Schau Dir unsere 1st-Step-Präsentation an (rechts scannen). Wenn wir zusammen kommen, findest Du sie in deinem Partner-Portal mit den Sprecher-Texten.

https://15MinFLP.ErlebnisErfolg.com

Meine Erfahrung zum Thema „Wissen" ist eine glasklare, die ebenso glasklar umzusetzen ist.

1. Sei interessiert, so wenig wie möglich zu wissen, und gehe damit deinen ersten Schritt.

2. Sei stolz auf Dich, wenn Du mit diesem wenigen Wissen erste Gäste eingeladen hast, die auch gekommen sind.
3. Vermeide das ewige Rumsitzen auf Schulbänken, sondern erweitere dein Wissen in kleinen Schritten aus deinen Erfahrungen und den Berichten anderer.
4. Lerne, Dich über kleine Fortschritte zu freuen. Lächle!

Ich komme übrigens ursprünglich aus dem betrieblichen Bildungs-Wesen, und habe unendlich viel gelernt. Dabei habe ich auch unendlich viel Zeit verplempert. Heute wird mir „Wissen" jeden Tag verdächtiger. Ich will nichts mehr zusätzlich wissen; ich will Resultate erzielen. Und dieses Mindsetting werden wir gemeinsam erledigen. ***Genießen wir es auch gemeinsam!***

https://WaldmeisterEis.ErlebnisErfolg.com

ENTSCHEIDE, OB DU LERNEN ALS WERKZEUG FÜR DEINE WEITER-ENTWICKLUNG EINSETZEN WIRST, ODER ALS WAFFE GEGEN DEINEN ERFOLG.

Hans Janotta

Welche Frage möchtest Du mir jetzt zum **Monat 4** stellen? 🖊

Hier↑ notieren, hier↗ scannen und fragen. https://Leserservice.ErlebnisErfolg.com

https://Freunde.ErlebnisErfolg.com

MONAT 5
HIER ARBEITEN FREUNDE
PROFESSIONELL ZUSAMMEN.

„Verführen wir mit unseren Ideen Menschen,
die Kraft der Multiplikation zu erleben und daraus
Lebens-Freude zu generieren."
Hans Janotta

5.1 EIN MINDSET, DAS EIN TEAM LANGE ZUSAMMEN HÄLT.

Ich habe in meinem Verlag ein Team aufgebaut, das durch ein gemein-sames Mindset verbunden ist. „Gemeinsamkeit" ist bei mir auch hier eines der obersten Prinzipien einer Zusammen-Arbeit. Wenn sich Men-schen diesem Prinzip verpflichten, werden sie langfristig gerne zusam-men sein und so Großes erreichen.

Was bedeutet es, wenn ein Team aus Freunden auch in unserem Net-work-Geschäft professionell zusammen arbeitet?

* Freunde haben gemeinsam Spaß.
* Einen Freund interessiert, dass der andere auch seine Ziele erreicht und sie unterstützen sich in diesem Sinne.
* Freunde sind bereit, auch länger zusammen zu stehen.
* Freunde sind bereit, sich gegenseitig wertzuschätzen.
* Freunde sind immer bemüht, die Stärken des Anderen heraus zu finden und dem Freund zu helfen.
* Freunde halten auch mal Meinungs-Verschiedenheiten aus und ste-hen sie durch.
* Freunde gehen im Falle eines Problems ganz anders mit einander um als „normale" Geschäfts-Kontakte.
* Freunde genießen es, gemeinsam zu feiern.

Und wenn dann noch der Fokus auf messbaren Resultaten liegt, dann können alle sicher sein, professionell mit dem richtigen Mindset zu-sammen zu arbeiten. Sie werden die Kraft der Resultate gemeinsam erleben und feiern.

https://Team.ErlebnisErfolg.com

5.2 Arbeiten?

Es ist eine Unart und Peinlichkeit erster Klasse, dass es noch immer Typen gibt, die behaupten, dass reich werden, ohne etwas dafür zu tun, möglich sei. Es ist eine Lüge.

Ja, bei uns geht es auch um Arbeiten. Viele Menschen haben entschieden, sich zu Tode zu arbeiten, anstatt richtig zu arbeiten. Sie hocken den ganzen Tag im Büro, und träumen vom Feierabend. Wenn sie den erreicht haben, träumen sie vom Wochenende. Und danach vom Urlaub. Und im Urlaub träumen sie vom Ruhestand und der Rente. Und dann sterben sie, ohne auch nur einen ihrer Träume erfüllt gesehen zu haben.

Das wollen wir nicht! Weder für uns noch für Dich!

Ich werde Dir einen Job vorschlagen, der auf „1 zusätzliche Stunde pro Tag" ausgerichtet ist. Ok, vielleicht wirst Du zu Beginn auch mal zwei Stunden am Tag arbeiten. Aber mehr darf es nicht sein, denn sonst würdest Du es nicht neben deinem Haupt-Job erledigen können; wenn es mehr wäre, würde es sich nicht zum zweiten Standbein eignen. Und wir werden Dir nicht empfehlen, deinen Brot-und-Butter-Job zu kündigen, bevor Du vergleichbare Einkünfte aus unserem Business auf deinem Konto siehst.
Ja, wir arbeiten, aber eben nicht „wie blöd", sondern gesund, glücklich und frei.

https://ArbeitenSpass.ErlebnisErfolg.com

5.3 PROFESSIONELL?

Leider ist es fast nirgends Teil unserer Ausbildungen, zu lernen, wie professionelle Selbständigkeit geht. Und weil sie uns das nicht anbieten, erfinden sie Blödsinn wie „selbst und ständig".

Wenn Du interessiert bist, den schädlichen Glaubenssatz „selbst und ständig" oder gar „Zuerst die Arbeit, dann das Spiel" zu glauben und entsprechend zu handeln, gibt es für Dich jetzt zwei Möglichkeiten:

- Entweder Du lässt Dich von erfahrenen (und an deinem Wohl interessierten Unternehmern) eines Besseren belehren und freundschaftlich anleiten, ...

- ...oder Du beschließt, Dich wirklich zu Tode zu arbeiten, aber dann bitte ohne mich, denn davon verstehe ich nichts.

Professionelles Arbeiten bedeutet eben nicht, ständig rum zu rennen und zu behaupten „Ich habe keine Zeit", sondern sich so zu managen, dass die Arbeit Spaß macht; dass die Erholung und die Freizeit Teil der Professionalität sind; dass klar ist, dass auch Du einen Bio-Rhythmus hast, dem dein Termin-Kalender völlig egal ist; der nicht einkalkuliert, dass Du ausgebeutet zusammen brichst und Teil eines kranken Pharma-Systems wirst.

Professionell bedeutet bei uns, dass Du als Mensch im Mittelpunkt stehst, und wir nie nur auf deine Zahlen schauen werden, sondern darauf, wie es Dir geht. Und wir werden erst zufrieden sein, wenn es Dir gut geht. Lass uns das erleben und feiern. Lass uns das unter „professionell" verstehen.

5.4 Die Kraft der gemeinsamen Kraft.

Kein wirklich großer Unternehmer hat das, was er getan hat, allein getan. Jeder große Unternehmer hat genau gewusst, wo seine eigenen Grenzen sind, und wie er die durch die Kraft seines Teams sprengen kann.

Und das ist einer der Gründe, warum wir in starken Teams arbeiten. Jeder tritt an, seine eigene Kraft in den Dienst aller zu stellen. Natürlich wird es Dinge geben, die Du allein tun willst und sollst. Wenn Du aber an einen Punkt kommst, wo Du Fragen hast, wo Du zweifelst, wo Die deine Kraft auszugehen scheint, wo Du Wissens-Bedarf hast, wo Dir deine Ergebnisse nicht schnell genug kommen, wo Du aufhören willst … dann rechne mit Menschen, die Dir dabei mit Rat und Tat zur Seite stehen.

So eingesetzte Kraft wird deine Kraft vervielfachen. Zu zweit werden wir das Doppelte leisten; zu dritt das Neunfache; zu viert das Sechzehnfache. Warum also aufhören?
Du darfst dann gerne fragen: „Und wer ist der Team-Häuptling?" oder „Wo ist oben?". Und auch diese Antwort von uns ist ganz einfach und hat in jedem seriösen Network-Business so zu sein:

Dort, wo Du bist ist oben!

Möglicherweise werden wir Dir als Partner des SunnySide-Teams viele Arbeiten abnehmen, aber nie, um Dich abhängig zu machen; immer nur um Dich zu entlasten, damit Du Dich mit deinen Stärken befassen kannst. Und so wird jeder, die Kraft des ganzen Teams zur Verfügung haben.

5.5 Das Erlebnis „Team Spirit".

Wenn wir unsere Resultate gemeinsam genießen wollen, geht das nur, wenn wir Schwestern und Brüder im Geiste sind; wenn kein Platz ist für Hektik, Neid und Missgunst existiert. Erst wenn wir uns als Einheit aus Freunden verstehen, werden wir die Kraft eines gemeinsamen Geistes spüren.

Unsere Gesellschaft funktioniert weitgehend so, dass Wettbewerb, Misstrauen und Neid Werte zu sein scheinen, die tag-täglich gelebt werden. Und sie werden deshalb so gelebt, weil sie uns in unserer Ausbildung so beigebracht worden sind. Welchen anderen Sinn sollten Schulnoten haben als die „Guten" von den „Schlechten" zu unterscheiden? Welchen anderen Sinn sollten im Vertrieb Forecasts haben als einen Grund zu schaffen, einen Mitarbeiter los werden zu können? Welchen anderen Sinn sollten unsinnig große Autos haben als sein kümmerliches Selbst-Bild aufzupolieren und den Nachbar neidisch zu machen?

Das alles hat bei uns keinen Platz!

Wenn Du dringend ein großes und Benzin-fressendes Auto brauchst, sollst Du das aufgrund deiner Einkünfte entscheiden (können), es aber nicht als Waffe gegenüber anderen einsetzen. Du sollst Dich darüber ehrlich freuen, andere an deiner Freude teilhaben lassen, und Dich über deren Ergebnisse freuen.

Wenn wir Team-Ergebnisse leichter erreichen können als Allein-Kämpfer-Ergebnisse, geht das eben nur mit einem funktionierenden Team. Und ein funktionierendes Team hat einen gemeinsamen Team-Spirit. Genieße dieses wundervolle Ergebnis!
Ebenfalls zu Beginn meiner Networker-Karriere sagte mir einer meiner damaligen Upliner: „Network-Marketing ist ein Haifisch-Becken". Und

in einem Business-Netzwerk gibt es einen Teilnehmer, der versucht mir immer wieder klar zu machen, dass draußen Hauen und Stechen herrsche. „Prima" Energie!

Meine Antwort ist immer die gleiche: Die Situation, in der sich Menschen befinden, haben sie selbst gemacht; und sei es nur dadurch, dass sie entschieden haben, in diese Situation rein zu gehen oder drin zu bleiben. Unser Motto kennst Du schon.

Hier arbeiten Freunde professionell zusammen.

Das müssen wir *wollen*; das müssen wir *tun*; das müssen wir *wertschätzen*; das müssen wir sein. Ich werde in meinem, und vielleicht auch in deinem Team nie zulassen, dass Hauen und Stechen herrschen, und einer dem anderen den Erfolg neidet. Ich werde alles dafür tun, dass wir uns als Team wohl fühlen und auf einander verlassen können. Und ich werde Menschen aus meiner Umgebung fern halten, wenn sie glauben, auf Kosten anderer handeln zu müssen. Nicht mit mir! Und ich empfehle Dir: „Nicht mit Dir!".

Das ist übrigens im Network-Marketing sehr unüblich. Ok, ich kenne ein paar Teams, da wird das aktiv zelebriert. Und dabei ist immer eines klar: „Der Team-Spirit wird vom Leader definiert und von allen gemacht. Ich will kein Hauen und Stechen und keinen Neid; ich will Dich als Freundin oder Freund.

Wir reden dauernd über Zusammen-Arbeit, über Team-Spirit, warum eigentlich? Es ist sehr einleuchtend und einfach. Wenn Du allein vor Dich hin arbeitest, oder gar allein ein ganzes Mitarbeiter-Team mit schleppst hast Du immer 100% der Last allein zu tragen. Und zusätzlich geben noch viele Unternehmer massenweise Geld aus, um sich einen Coach an die Seite zu holen. In einem Team, das wie ein professionelles Team funktioniert, wird sich die Kraft aller immer multiplizieren, zum Wohle aller.

Ergebnis

Ergebnis

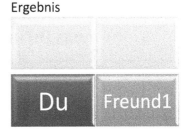

Ergebnis

Beachte, es gibt bei uns Teams, die bestehen aus 20.000 und mehr Partnern. Ahnst Du, was die für eine Kraft haben? Und wie viel Spaß sie miteinander haben? Das ist es, was wir beide erreichen werden.

Auch ich habe vor vielen Jahren begonnen, allein zu arbeiten, und damit ein kleines Einkommen erreicht. Als ich begriffen hatte, wie ich damit Menschen begeistere, hat sich mein Einkommen vermehrt, ohne dass ich mehr arbeiten musste. Als ich das dann multiplizierte, hat sich mein Einkommen um ein Vielfaches vergrößert. Und dieses Prinzip hat a) allen genützt, und b) mich sehr motiviert. Dieses Gefühl kannst Du Dir mit meiner Hilfe auch holen.

DU BIST HEUTE DAS, WAS DU GESTERN GEDACHT HAST. UND DU WIRST MORGEN DAS SEIN, WAS DU HEUTE DENKST.

Buddha

Welche Frage möchtest Du mir jetzt zum **Monat 5** stellen? 🖊

Hier↑ notieren, hier↗ scannen und fragen. https://Leserservice.ErlebnisErfolg.com

MONAT 6
DIE RICHTIGEN MENSCHEN ZULASSEN
UND RICHTIG BEHANDELN.

„Eine freundschaftliche Zukunfts-Werkstatt;
für den Weg des geringsten Widerstandes.“
Hans Janotta

6.1 WAS MENSCHEN WIRKLICH WOLLEN.

Die Mehrheit der Verkäufer schlägt auf, mit dem Duktus „Hände hoch, ich hab´ ein Angebot!". Keiner von ihnen fragt sich, wer dort draußen erlegt oder gar erschossen werden will. Und deshalb ist unsere Botschaft an Menschen eine andere.

Es geht nie in erster Linie um unser Angebot; nie um unser Produkt; nie um die Absatz-Strategie unseres Lieferanten. Es geht nicht einmal um Gesundheit generell! Es geht einzig und allein um die Antworten auf die Fragen:

* *Wer bist Du?*
* *Was willst Du?*
* *Welche Sprache sprichst Du?*
* *Was sind deine Ziele?*
* *Bist Du an einer Lösung interessiert?*

Diese Fragen können wir, eingebettet in ein erstes Kennenlern-Gespräch, stellen. Das große Geheimnis scheint für viele zu sein, nach dem Stellen der Frage, den Mund zu halten, und dem Partner die Gelegenheit zu Antworten zu geben. Nur so erfahren wir etwas über ihn. Nur so können wir beurteilen, ob unser Angebot für ihn eine Lösung sein kann. Nur dann ist es sinnvoll, mehr Zeit zu investieren.

Und nur so, werden wir die „richtigen" Menschen treffen und ihnen das Gefühl geben, bei uns richtig zu sein.

Und dann werden wir von ihnen erfahren, wie sie behandelt werden wollen. Nur dann können wir es tun. Nur dann werden sie bereit sein, unser Team zu bereichern.

Die Antwort auf die Frage was Menschen wirklich wollen, ist nicht nur eine Frage der Harmonie-Bedürftigkeit, sondern drückt sich zum Beispiel ganz konkret in den Google-Statistiken aus. Diese Liste ist seit vielen Jahren allgemein gültig, und ich habe sie mir und für uns als Leitlinie entschieden:

Was wollen Menschen wirklich?
- *Gesundheit*
- *Sicherheit*
- *Geld verdienen*
- *Community, Gemeinschaft*
- *Liebes-Beziehungen*
- *Reisen*

Diese Themen nennt man „*Evergreen-Themen*", und das heißt, dass sie schon vor zwanzig Jahren so bestanden haben, und auch in zwanzig Jahren noch Bestand haben werden.

Jetzt weißt Du, warum es eine gute Idee für Dich ist, ein Geschäft aufzubauen, das Gesundheit liefert, das Dir umfassende Sicherheit garantiert, das nur als Team-Geschäft (Community) funktioniert, und mit dem Dir die ganze Welt offen steht. Und da dies auch meine Träume sind, sind wir schon zu zweit. Bauen wir etwas Bleibendes und Wachsendes auf.

6.2 „ICH MÖCHTE DIE PRODUKTE".

Es ist im Network-Marketing oder Direkt-Vertrieb eine große Unart, jedem zu unterstellen, dass er reich werden will; bei jedem davon ausgehen, dass er Zeit einsetzen will; jeden dazu drängen, erfolgreich zu werden. **Es ist gequirlter Unsinn!**

Es könnte sein, dass ein Mensch von unserem Thema „Gesundheit" erfährt. Es könnte sein, dass er sich mit uns nur darüber unterhalten will. Es könnte sein, dass er uns sagt: „Ich will nur die Produkte". Ein Mensch, der die Produkte will, will anders behandelt werden als jemand der reich werden will. Wenn Du einkaufen gehst, bist Du an Obst und Gemüse interessiert, und nicht in die Supermarkt-Kette zu investieren. Und wenn wir „Geld verdienen" von Produkt-Interessenten erwarten, brauchen wir uns nicht wundern, wenn sie sich abwenden ... zu Recht!

Jeder Mensch, der unsere Produkte kauft, ist uns herzlich willkommen, und bekommt unsere Unterstützung, sie richtig anzuwenden. Und jedem, der feststellt, dass sie ihm gut tun, überlassen wir es, ob er anderen davon erzählen will. Und wenn er das nicht will, behandeln wir ihn trotzdem wie einen Freund.

Und wenn er eines Tages ankommt und uns sagt: „Ich habe da jemanden, der die Produkte auch möchte", werden wir ihm zeigen, wie es geht, dass er auch ein bisschen etwas davon hat. Und wenn er dann Geld verdienen will ... siehe nächstes Kapitel.

Es ist unsere Pflicht, Menschen so zu behandeln wie sie es wollen.

6.3 „ICH MÖCHTE GELD VERDIENEN".

Die Mehrheit der privaten Haushalte ist drei Monate von der Pleite entfernt. Das heißt, die könnten bei komplettem Ausfall der Gehälter nur drei Monate durchhalten. Und wenn sie von unserem Staat die unglaubliche Leistung „Rente" bekommen, sind sie auch arm.

Es ist eine gute Idee, sich selbst um sein Einkommen zu kümmern, und ein Business zu bauen, das ein bleibendes und wachsendes Einkommen ermöglicht. Wenn jemand mit diesem Ziel auf uns zu kommt, werden wir ihn wie einen Unternehmer behandeln. Wenn er keine Ahnung hat, wie „Unternehmer sein" geht, werden wir es ihm beibringen. Er kann sicher sein, dass wir mehr als 100 Jahre unternehmerische Erfahrung im Team haben.

Er kann aber auch sicher sein, dass unser Wort „Ich bin nur noch interessiert an Menschen, bei denen die Differenz zwischen Worten und Taten Null ist" auch für ihn gilt. Wir werden ihn an seinen eigenen Worten messen, und angemessene Taten von ihm erwarten. Und diese angemessenen Taten werden immer die Energie „pure & simple" in sich tragen, glasklar und einfach. Wir werden fragen: „Wie viel möchtest Du im Monat verdienen, um entspannt zu sein?". Und wenn uns dieser Menschen sagt: „€1.000", dann werden wir ihm den Plan für €1.000 vorlegen. Und wenn er uns sagt €50.000, wird das das Ziel unserer gemeinsamen Arbeit sein. Wir reden nie mit Menschen über Dinge, die ihr Vorstellungs-Vermögen überschreiten.

https://ErfolgsStory.ErlebnisErfolg.com

6.4 „ICH MÖCHTE, DASS WIR UNS VERTRAUEN UND MÖGEN.

Würdest Du von jemandem einen Rat annehmen, schon gar einen Rat, der mit Geld zu tun hat, wenn Du ihm nicht voll und ganz vertraust? Beim Thema „Geld" ist Vertrauen, das wichtigste Fundament.

Wir werden viele Menschen treffen, die wir noch nicht kennen, und sie uns auch nicht. Wenn wir dieses Buch in den sozialen Netzen vorstellen, hat jeder die Chance, ein bisschen etwas über unser Werte-System zu erfahren. Aber er weiß nicht, ob ich das geschrieben oder einen Ghostwriter beauftragt habe. Wie findet er das heraus?

Das wichtigste Werkzeug dafür ist Kommunikation. Automatisierte Funnel sind schön und gut, aber ein Network-Geschäft ist ein Menschen-Geschäft; es wird mit digitalen Methoden allein nicht funktionieren. Und das wissen die erfolgreichen Network-Millionäre. Keiner von ihnen akquiriert im Internet. Was wir tun können ist, moderne digitale Methode für den ersten Schritt nutzen, um schnell zu einem persönlichen Gespräch zu kommen.

Und in so einem Gespräch werden wir genau so klar reden, wie Du es hier gerade liest. Auch wir werden an uns den Maßstab „Differenz zwischen Worten und Taten gleich Null" anzulegen.

Und wenn wir das konsequent tun, haben wir alles richtig gemacht, damit Menschen uns ihr Vertrauen schenken.

6.5 DAS ERLEBNIS „MENSCHEN GENIEßEN".

Es ist eine wundervolle Energie, mit Menschen zu arbeiten, die freund-schaftlich auf einem Fundament des Vertrauens handeln.

Vertrauen erzeugen ist nichts, was man in Trainings lernen kann. Vertrauen ist immer dann möglich, wenn sich zwei Menschen treffen, die sich a) ernst nehmen, und die sich b) darauf verlassen können, dass zwei Menschen zum Wohle des jeweils anderen handeln. Wenn das gegeben ist, können wir das Zusammensein mit Menschen genießen.

Leider ist „genießen" im Werte-System unserer Gesellschaft und der Kirchen oft etwas, das nahe an der Sünde rangiert. Welch ein Unsinn! Welch ein Lebensfreude mordendes Monster! Welch ein Verrat am „Mensch sein"!

Um Menschen genießen zu können, brauchen wir ein paar ganz einfache Fähigkeiten:

- Wie müssen bereit sein, zu genießen.
- Wir müssen fähig sein, zu genießen, egal, wie es uns gerade persönlich und finanziell geht.
- Wir dürfen keine Angst vor Menschen haben.
- Wir müssen Menschen erst mal unterstellen, dass sie uns wohl wollen; und ihnen zeigen, dass es anders herum auch so ist.
- Wir müssen es uns gönnen.

https://Party.ErlebnisErfolg.com

In allen meinen Projekten heißt das Motto, dem ich jede Zusammenarbeit unterordne:

Hier arbeiten Freunde professionell zusammen.

Und das ist für mich eben nicht nur ein genialer Werbe-Spot, sondern ich meine es ernst und lebe es. Und ich kann Dir bestätigen, dass es die Menschen, die die Bedeutung und Ernsthaftigkeit spüren, sehr genießen. Ich habe mir dann Gedanken gemacht, was ich konkret getan habe, um genau das genießen zu können.

- Ich mag Menschen und gehe gerne mit ihnen um; ich kann ohne Angst neue Beziehungen knüpfen.
- Ich habe Lust auf Genuss.
- Ich bin selbst offen und bereit, persönliche Details zu teilen, und erzeuge in Menschen das Vertrauen, das ebenfalls gefahrlos tun zu können.
- Ich akzeptiere abweichende Meinungen und versuche im Gespräch, den notwendigen Konsens her zu stellen.
- Ich wertschätze die Fähigkeiten meiner Team-Partner und sage ihnen das auch.
- Wir haben viel Spaß miteinander.
- Wir sind interessiert an konkreten, großen Resultaten.

Und wenn ich dann spüre, dass Menschen mit mir in Resonanz sind, spüre ich auch das wundervolle Gefühl, sich beidseitig das (Business-)Leben zu verschönern. Und das kann ich genießen. Regelmäßig treffen wir uns online und live, und tun eben auch andere Dinge als nur arbeiten. Und auch das genießen wir. Und auch das hat einen großen Platz im Projekt „ERLEBNIS ERFOLG".

**ICH BIN NUR NOCH INTERESSIERT AN MENSCHEN,
BEI DENEN DIE DIFFERENZ ZWISCHEN WORTEN
UND TATEN NULL IST.**
Hans Janotta

Welche Frage möchtest Du mir jetzt zum **Monat 6** stellen? ✏

Hier↑ notieren, hier↗ scannen und fragen. https://Leserservice.ErlebnisErfolg.com

https://ErkennenMultipliz.ErlebnisErfolg.com

MONAT 7
DAS POTENTIAL DER PARTNER ERKENNEN UND MULTIPLIZIEREN.

„Unser Network-Marketing ist ein Menschen-Geschäft
für ein gesundes und sorgenfreies Leben."
Hans Janotta

7.1 WER BIST DU? WAS MÖCHTEST DU? WELCHE SPRACHE SPRICHST DU?

In einem Network-, Direktvertriebs- und Verkaufs-Gespräch geht es immer um den anderen. Auch wenn das viele Vertriebler nicht zu wissen scheinen. Die Frage ist, was wir tun müssen, um zu erfahren, wer der andere ist.

Wir haben das schon ein paar Kapitel zuvor angesprochen. Was aber tun wir, um heraus zu finden, wer der andere ist?

- Bevor wir eine Annonce platzieren machen wir eine ausführliche Zielgruppen-Analyse und recherchieren die richtigen *Keywords*, die zu dieser Zielgruppe passen.
- Wir fertigen *Landing-Pages* an, die genau einer Zielgruppe entsprechen, und platzieren dort Aussagen, die diese Menschen wollen und verstehen.
- Wir präsentieren uns in unseren *digitalen Funnels* in persönlichen Videos. So haben unsere Erst-Besucher die Chance, einen Teil unserer Persönlichkeit zu erleben.
- Wir bieten *kostenlose Vorträge* an, die es unseren Interessenten leicht machen „mal vorbei zu schauen".
- Wir arrangieren gleich beim ersten Vortrag ein persönliches *Video-Gespräch*, in dem sich unser Gesprächs-Partner so präsentieren kann, wie er ist, und wir dir Chance haben, zu verstehen, was ihn interessiert.
- Wir *begleiten* ihn bei den ersten Schritten persönlich und helfen ihm so, sicher zu werden.
- Wir lassen alle *seine Fragen* zu und sind nie um eine Antwort verlegen. So erlebt er unsere *Kompetenz*.

7.2 „WAS ERWARTEST DU VON MIR?"

*Von jemandem, der sich bei uns um einen Platz im Team bewirbt, können wir ahnen, was er wollen könnte. Aber das ist uns schon ein Konjunktiv zu viel. Wir wollen **wissen**, was er erwartet, weil wir seine Erwartungen erfüllen wollen.*

Wenn wir genau diese Frage stellen „Was erwartest Du von mir?", werden wir Antworten bekommen. Und zwar Antworten, die dazu führen, a) uns selbst zu fragen, ob wir diese Erwartungen erfüllen können und wollen, und b) bekommen wir eine Mess-Latte für den weiteren Umgang mit diesem Partner. Wenn wir uns immer erinnern, was der Partner von uns erwartet, müssen wir nie mehr über etwas anderes mit ihm reden.

➲ Dabei gibt es ein scheinbares Problem. Ein neuer Partner kann schnell weitere Partner beibringen und sie für unser Geschäft begeistern. Aber er hat möglicherweise noch nicht unsere Sicherheit. Macht nichts. Wir bieten jedem Partner Dreier-Gespräche an, in denen sein neuer Kontakt seine Fragen beantwortet bekommt, und bei denen er selbst dazu lernt. Das ist eine unserer Maßnahmen beim Team-Building.

Und sei sicher, wir kennen derer noch viele.

https://AufMichZukommen.ErlebnisErfolg.com

7.3 WOHIN MÖCHTEST DU DICH WEITER ENTWICKELN?

Natürlich wollen wir irgend wann einmal unsere Produkte, unser Geschäft, unsere Lösungen vorstellen. Aber es ist völlig sinnlos, Lösungen zu zeigen, die der Partner nicht als seine Lösungen erkennt. Also müssen wir präzise wissen, wo der Partner jetzt steht und wohin er sich entwickeln will.

Ob ein neuer Partner uns erzählen will, wo er jetzt gerade steht, persönlich oder finanziell, ist natürlich eine Frage des Vertrauens. Und darüber haben wir hier schon gesprochen. Wenn aber das Vertrauen besteht, ist es eine Frage der Qualität eines Gespräches.

Der neue Partner kann das Gefühl haben, dass alle unsere Fragen darauf abzielen, endlich über unser Geschäft reden zu dürfen. Wenn wir so vorgehen, können wir das schönste Vertrauen wieder verspielen.

Aber wir können auch so auftreten, dass der Partner das Gefühl hat, dass es wirklich um ihn geht; dass seine vertraulichen Informationen bei uns in guten Händen sind; und dass wir nicht zum Geschäft übergehen werden, bevor wir bei ihm das Mandat eingeholt haben, darüber reden zu dürfen.

Wie schon erwähnt, wir müssen niemanden erlegen, egal wie dringend es uns selbst ist, Geld zu verdienen. Wir müssen ihn einen großen Teil der Gesprächs-Führung überlassen, um im besten Fall nur seine Fragen beantworten. Zum Beispiel die Frage: „Wohin möchtest Du Dich entwickeln?".

7.4 DARF ICH DIR ERZÄHLEN, WAS DEINE LÖSUNG SEIN KÖNNTE?

Ohne seine Erwartungen erzählen zu können, wird unser neuer Partner nicht an unserer Lösung interessiert sein. Also müssen wir in einladen, uns einzuladen, unsere Lösung zeigen zu dürfen.

Es kommt der Zeitpunkt, an dem wissen wir von einem neuen Interessenten viel. Viel über seine persönlichen Umstände; viel über seine finanzielle Situation; viel und seine Träume. Dieses „viel wissen" führt dazu, dass wir nie den ganzen Sack unserer Möglichkeiten über ihn ausleeren müssen, sondern nur auf die Details zurück greifen können, die seiner Situation entsprechen.

In einer öffentlichen Geschäfts-Präsentation ist es natürlich nur möglich, Informationen für alle Gäste zu geben. Aber wir werden auch nach einem aufgezeichneten WEBinar persönlich für eine „Fragen und Antworten"-Runde zur Verfügung stehen. Und schon hat der Gast den berechtigten Eindruck, es ginge um ihn.

Eine individuelle Präsentation, oder eine persönliche F&A-Runde haben vor allem bei weniger fantasievollen Menschen immer die Option, dass wir fragen können und sollen: „Darf ich Dir erzählen, was deine Lösung sein könnte?". Sehr schnell wird der Gast den Eindruck haben, dass es wirklich um ihn geht.

Eine ganze Reihe von Formaten, wie zum Beispiel „Sprech-Stunde" und „persönliches Treffen (online oder live)" werden dazu führen, dass wir heraus finden, welchen Teil unserer Lösung für den Partner relevant ist.

7.5 DAS ERLEBNIS „MULTIPLIKATION" UND „RESULTATE".

*Ach ja, richtig, wir wollen ja etwas **erleben**! Und zwar „starke Multiplikation" und „beste Resultate".*

Das Salz in der Suppe des Networkings ist die Multiplikation. Was bedeutet das? Es bedeutet in erster Linie, dass sich unsere Arbeits-Kraft vervielfältigt, weil unsere Partner ihren Teil dazu beitragen, dass es auch bei uns brummt. Und das ist überhaupt nicht verwerflich. Und es hat auch nichts mit „Ihr da oben und wir das unten" zu tun. Es bedeutet immer, dass der aktive Partner den größten Teil des Kuchens bekommt, und sein Sponsor seinen gerechten Anteil, dafür, dass er ihn ins Geschäft geholt hat und unterstützt.

Ich erkläre Dir gerne in einem persönlichen Gespräch oder einer F&A-Runde, warum ich zu 100% hinter der Aussage stehe: „Network-Marketing ist die fairste Art bezahlt zu werden".

Wenn Du einmal eine Provision bekommst, an der dein ganzes Team mit gearbeitet hat, weißt Du, was Multiplikation ist und kannst es genießen.
Und wenn Du weißt, dass das Geld, das Du monatlich bekommst, ein faires und angemessenes Äquivalent deiner Leistungen ist, hast Du ein Resultat, und kannst es auch genießen.

**GELD KOMMT NICHT ZUR ARBEIT,
SONDERN ZU BEWUSSTSEIN.**
Napoleon Hill

Welche Frage möchtest Du mir jetzt zum **Monat 7** stellen?

Hier↑ notieren, hier↗ scannen und fragen. https://Leserservice.ErlebnisErfolg.com

https://SelbstLuege.ErlebnisErfolg.com

Monat 8
Verhält sich mein Gegenüber so als ob er wirklich will?

„Sich ernst nehmen und Team-Geist erleben.“
Hans Janotta

8.1 DIE DIFFERENZ ZWISCHEN WORTEN UND TATEN.

Auch bei diesem Thema weißt Du, dass es mir heilig ist. Es gibt so viele Schwätzer, die aus irgend welchen Gründen irgend etwas sagen, nur um nicht „ja" oder „nein" sagen zu müssen. Unsere Aufgabe ist es, diese Menschen zu erkennen.

Warum tun Menschen so etwas? Warum ist das in einem Verkaufs-Gespräch so weit verbreitet? Ganz einfach: Weil Menschen Angst haben, Position zu beziehen, eine echte Entscheidung zu treffen, diese auszudrücken und dann zuverlässig zu sein. Wir können in unserem Geschäft aber nur Menschen brauchen, die sich positionieren, Entscheidungen treffen, sich artikulieren und dann tun, was sie von sich selbst erwarten.

Ob ein Mensch sich so verhält, wie versprochen, bemerkst Du im ersten Gespräch und bekommst es spätestens nach einer Woche Arbeit bestätigt, oder eben nicht. Ich rate Dir, Dich auf deine innere Stimme zu verlassen, mit den Menschen Klartext zu reden, und Dich denen zuzuwenden, die wirklich wollen.

Warum tun das so wenige Networker, Direkt-Vertriebler und Verkäufer? Weil sie selbst Angst davor haben, ihr Gegenüber könnte „nein" sagen. Weil sie selbst in Not sind; weil sie schnell Geld verdienen wollen und müssen; weil sie glauben, „Erlegen" von Kunden sei die Lösung. Sie ist es nicht. Ein halbherziges „Ja" wird nur zu viel Aufwand führen und kein Ergebnis erzeugen. Ein schnelles „Nein" erspart viel Zeit.

https://DiffWorteTaten.ErlebnisErfolg.com

8.2 Ich habe Dir genau zugehört.

Menschen erzählen Dir heute dies und morgen jenes. Meistens erinnern sie sich gar nicht, was sie gestern gesagt haben; und deshalb ändern sie ihre Worte dauernd. Äußerst schädlich für eine nachhaltige und ertragreiche Geschäfts-Beziehung.

Das Beste, was wir dafür tun können ist:

1. Uns schnell ein Gefühl verschaffen, ob Gespräche mit diesem Menschen lohnen.
2. Keine Entscheidungen erzwingen, sondern zur Entscheidung führen, und sie kurz zusammen fassen.
3. Nachfragen, wenn wir Zweifel an der Belastbarkeit von Aussagen haben. Auf eine klare Aussage bestehen.
4. Gespräche als Protokoll aufzeichnen, und dem Partner zur Verfügung stellen.

Und das Wichtigste:

5. Immer und immer wieder ins Gespräch einflechten: „Ich habe Dir genau zugehört. Du hast am xxxxxxx gesagt,…. Heute sehe ich da eine gewisse Diskrepanz. Können wir das klären?".

Und wenn die Diskrepanz dann noch immer bestehen bleibt, gehe zurück nach **1.**

Befasse Dich nicht mit Menschen, die sich heute nicht erinnern, was sie gestern gesagt haben. Sie werden morgen wieder etwas anderes sagen.

https://DirZugehoert.ErlebnisErfolg.com

8.3 ICH MESSE DICH AN DIR.

Menschen hassen es, gemessen zu werden, weil sie das zu Recht von der ersten Klasse der Grundschule an als belastenden Wettbewerb empfunden haben. Es war aber immer ein Wettbewerb mit fremden Maßstäben.

Wenn wir anfangen, die Menschen selbst als Maßstab ihrer selbst zu wählen, sind sie es nicht gewohnt. Das ungute Gefühl, gemessen, benotet zu werden, steckt aber noch tief in ihnen.

Wir sollten diesen Menschen klar machen, dass sie für sich der beste Maßstab sind, den sie finden können. Ein Maßstab den sie unter Kontrolle haben können. Und vor allem ein Maßstab, an dem sie sich selbst messen sollten. So können wir Menschen helfen, sich zu ernst zu nehmenden Persönlichkeiten weiter zu entwickeln. Und warum sollten wir das tun? Weil Unsicherheit, Unzuverlässigkeit, Orientierungs-Losigkeit, unstrukturiert sind, und mangelhafte Ernsthaftigkeit keine Attribute, aus denen Du Kraft für eine Business-Entwicklung erkennen könntest. Du hast aber keine Zeit, Dich mit Persönlichkeits-Therapien zu befassen. Du brauchst Menschen, die schon auf dem Weg sind und entschieden haben, zuverlässig zu sein, und damit ihre Ziele zu erreichen.

Und beim Führen von Menschen in eine strahlende Zukunft, geht es nicht um deine Zuverlässigkeit, sondern um ihre. In erster Linie zu ihrem, und in erst dann zu deinem Wohl. Das sollte doch Grund genug sein, dass Menschen sich selbst als Maßstab ernst nehmen.

8.4 EINE STARKE ENTSCHEIDUNG.

Eine echte Entscheidung trennt mich von jeder anderen Möglichkeit ab.

Warum sollten wir uns von Alternativen zu unseren Entscheidungen trennen?

- Weil wir unseren Fokus kennen, und wissen, dass nur das Festhalten am Fokus auf dem Weg des geringsten Widerstandes zum Ziel führt.
- Weil auch Alternativen Denk- und Handlungs-Kraft erfordern.
- Weil wir jeden Tag von neuen Ideen und Impulsen angeflogen werden. Wenn wir keine Kriterien entwickelt haben (z.B. unser Fokus), dann werden wir für die Last neuer Impulse offen sein, und so viel unnötige Kraft und Zeit vergeuden.
- Weil das Offenhalten von Alternativen Zweifel nährt.
- Weil wir so entschieden haben, den Weg des größten Widerstandes zu gehen.

➲ Auch wir werden unsere Entscheidungen immer wieder ein bisschen vergessen, wenn wir nicht dafür sorgen, dass sie sich jeden Tag in unsere Erinnerung drängeln. Wir werden Dir beibringen, wie Du Entscheidungen so dokumentieren kannst, dass die Erinnerung daran die Qualität der Belästigung hat. Alles andere wären wir nur zu leicht bereit zu verraten.

Sei sicher, das große Ziel „Ein strahlendes Leben in Gesundheit und Glück und Freiheit werden wir nie verraten".

Ich habe da noch ein schönes Bild für Dich. In seinem wunderbaren Buch „Simplify your Life" liefert Werner Tiki Küstenmacher diese Geschichte, die ich mit meinen Worten wieder gebe.

Stell Dir vor, Du möchtest eine schlammige Straße überqueren. Quer darüber liegt ein 30cm breites und zehn Meter langes Brett. Was entscheidest Du? Keine Frage, Du entscheidest, das Brett zu betreten, und ganz sicher sauberen Fußes drüben anzukommen. Und Du wirst keinen Augenblick an deiner Fähigkeit zweifeln, das zu schaffen.

Und jetzt stelle Dir vor, Du findest diesen Balken zwischen zwei Hochhäusern in 50 Meter Höhe. Was entscheidest Du jetzt? Schon bei der Vorstellung, das zu tun, stehen Dir die Haare zu Berge, und Du denkst Dir allerlei aus, was schief gehen könnte. Die Selbstverständlichkeit von vorhin, wird zur Angst erfüllten Katastrophe. Eine selbst gemachte Katastrophe, denn es ist immer noch das gleiche Brett.

Und jetzt stelle Dir noch vor, das Haus hinter Dir brennt lichterloh, und Du hast eine gute Chance mit zu verbrennen, dein Leben zu verlieren. Jetzt mutiert vermutlich der Irrsinn auch bei Dir zum Heldentum, und Du rennst los … und überlebst.

Das brennende Haus ist nichts anderes als die aufgeschobene Entscheidung für den Weg in ein strahlendes Leben. Möglicherweise hast Du das Haus auch noch selbst angezündet; und das Brett selbst gelegt. Im alles entscheidenden Moment hast Du aber zugelassen, dass Dir dein Hirn alle möglichen Katastrophen-Geschichten vor gaukelt. Und die haben nichts mit der Realität zu tun, nur mit deinen Gedanken. Was kannst Du also erwarten, dass ich in unserer 12-Monats-Challenge für Dich tue?

- Erstens werde ich dafür sorgen, dass überall auf dem Weg ausreichend viele Bretter rum liegen.

- Zweitens werde ich Dir die nicht schlammigen Straßen zeigen, und Dir trotzdem ein Brett bereit legen.

- Drittens werde ich dafür sorgen, dass Du entweder los gehst, bevor das Haus lichterloh brennt, oder Dir helfen zu verhindern, dass Du es überhaupt anzündest.

- Und viertens werde ich Dir eher 60 cm breite Bretter hinlegen als Angst-machende 30 cm Bretter.

Wir müssen uns immer im Klaren darüber sein, dass ein Haus erst lichterloh brennt, wenn wir es lange genug beobachtet und nicht gelöscht haben. Wenn es aber brennt (und ich kenne viele Menschen, bei denen es brennt), dann werde ich Dir zur Seite stehen, Dir keine theoretischen Katastrophen einzureden (einzudenken), sondern los zu laufen. Das kannst Du von jedem erwarten, der sagt:

Hier arbeiten Freunde zusammen.

Und mit dieser Energie werden wir das Erlebnis einer starken Entscheidung genießen, und es anderen weiter geben.

https://Entscheidung.ErlebnisErfolg.com

8.5 Das Erlebnis „Leben ohne Groll".

Menschen, denen es nicht gut geht, können lernen, dafür selbst die Verantwortung zu übernehmen. Die Rest-Bestände ihrer Selbst-Vorwürfe, der Groll, bleiben aber oft. Und das wirkt sehr lähmend auf das kraftvolle Begehen des Weges.

Jeder Mensch, der einen Grund hat, in seinem Leben etwas zu verändern, trägt den Groll auf sein bisheriges Versagen in sich. Das drückt sich dann in bestimmten Situationen ganz spontan aus in „Was bin ich für ein Depp" und „Ich kann das sowieso nicht" und „Ich verdiene es nicht anders". Sie sind sehr schnell dabei hinzu zu fügen, wenn andere zuhören „Das habe ich nicht so gemeint". Doch haben sie! Und es kommt so tief aus ihnen heraus, dass sie sich nicht dagegen wehren können, dass es sie belastet. Das heißt, sie tragen sehr viel mehr Last mit sich rum als es für den Weg des geringsten Widerstandes hilfreich ist.

Das ist das Programm, sich dieser Last zu entledigen:
- Mit der Vergangenheit aussöhnen, und bei Seite legen.
- Wissen, dass die Zukunft vor liegt und das Spiel bei Null beginnen kann.
- An seine strahlende Zukunft glauben, und sie so tief verinnerlichen, dass nichts anderes mehr Raum hat als dieser Traum.
- Den Groll bemerken und immer wieder weg schicken.

Du kannst sicher sein, dass auch ich diesen Weg gegangen bin, und weiß, wie gut es mir damit geht. Ich werde Dir dabei helfen.

https://OhneGroll.ErlebnisErfolg.com

**NICHT DIE GROßEN FRESSEN DIE KLEINEN,
SONDERN DIE SCHNELLEN DIE LANGSAMEN.**
Rolf Kipp

Welche Frage möchtest Du mir jetzt zum **Monat 8** stellen? 🖊

Hier↑ notieren, hier↗ scannen und fragen. https://Leserservice.ErlebnisErfolg.com

MONAT 9
MENSCHEN FOLGEN VORBILDERN.

*„Potentiale der Menschen
erkennen und fördern.“*
Hans Janotta

9.1 WAS MACHT EIN VORBILD AUS?

Menschen sind oft selbst sehr unsicher und orientierungslos. Deshalb suchen sie Orientierung und Sicherheit. Sie suchen sich andere Menschen, die Sicherheit und Orientierung ausstrahlen. Und dabei wenden Sie einfache Kriterien an.

Was macht ein Vorbild aus? Richtiger müsste gefragt werden: Was macht für *diesen* Menschen ein Vorbild aus? Du kannst das am Beispiel von Politikern studieren. Ein Politiker ist für den einen der Feind, für den anderen das Vorbild. Nelson Mandela war für die unterdrückten Farbigen in Afrika das große Vorbild; für die Apartheits-Politiker der große Verbrecher. Und ebenso ging das mit Che Guevara, Jassir Arafat und Ghandi. Was heißt das?

1. Lege Dir dein Werte-System fest und orientiere Dich bei allen deinen Entscheidungen und Taten selbst daran.
2. Suche Dir Menschen, die auf dem Weg schon weiter sind als Du und finde heraus, ob sie deinem Werte-System entsprechen.
3. Bitte sie, dein Mentor zu sein und vertraue ihnen.

Natürlich gibt es allgemeine Kriterien, die für Business-Vorbilder gelten sollten, bzw. ohne die ein Weg ins Dickicht führen wird. Das sind zum Beispiel: Ehrlichkeit, Zuverlässigkeit, Klarheit, Organisiertheit, Freundlichkeit, Ausdauer, Geduld, Fokussierung, Beständigkeit, Empathie, Toleranz, etc. Fertige Dir einfach eine Liste mit Eigenschaften eines Vorbildes für Dich an, und untersuche jedes potentielle Vorbild ob sie auf ihn zutreffen. Und dem folgst Du dann.

9.2 WELCHE DEINER STÄRKEN EIGNEN SICH ALS VORBILD.

Es wird Menschen geben, die Dich als ihr Vorbild wählen wollen. Auch denen kannst Du nichts vor spielen. Du musst entscheiden, deine Vorbild-Attribute als Markenzeichen vor Dir her zu tragen.

Spätestens wenn Du im Business ein Team aufbaust, wirst Du von Menschen als Vorbild betrachtet und gewählt werden. Das geschieht meist unbewusst aus dem tiefen Inneren deiner Gesprächs-Partner heraus. Und dabei ist es egal, ob Du mit ihnen persönlich redest; Dich mit ihnen in einem Online-Meeting triffst; sie ein Video mit Dir ansehen; oder auch nur einen Blog-Beitrag lesen. Überall werden deine Wesens-Merkmale durch scheinen und als Grundlage von Entscheidungen dienen.

Es ist also enorm wichtig, dass Du die Sicherheit bietest, dass alles, was Menschen an Dir wahrnehmen auch der Realität im Alltag entspricht. Ein Hobby-Vorbild, das sich nur in Worten erklärt, wird schnell zum Alp-Traum und von den Menschen enttäuscht verlassen. Diese möglichen Geschäfts-Partner bist Du dann los.

Ergänze also die Liste aus dem letzten Kapitel um nicht genannte, Dir aber wichtige Attribute, und stelle dann die Frage, zu wie viel Prozent sie (schon) auf Dich zutreffen.

➲ Teil unserer Challenge wird es sein, deine Vorbild-Attribute zu ermitteln, auszubauen, zu pflegen und als Alleinstellungs-Merkmal sichtbar zu machen.

9.3 WIE BEWEIST DU, DASS DU VORBILD BIST? DAS ERLEBNIS „BUCH-AUTOR".

*Wir haben schon darüber gesprochen, dass Menschen oft unsicher sind. Es wird ihnen also nicht reichen, dass Du Dinge sagst; sie wollen wie bewiesen bekommen; sie wollen sie er**leben**.*

Ich werde Dir nicht dieses oder jenes Projekt als Beweis deiner Einzigartigkeit vorschlagen, sondern mir genau dein Auftreten anschauen, und dann mit Dir die Vorbild-Eigenschaften ausbauen, die Dir am ehesten entsprechen. Aber ich will Dir an einem einfachen Beispiel zeigen, was Du tu kannst und was wir auch gemeinsam tun können:

In unserer Kultur gelten Buch-Autoren als Experten, und Experten als Vorbilder. Neben der Tatsache, dass es mir Spaß macht und ich es kann, ist das Publizieren von Büchern eine Eigenschaft, die mich von anderen unterscheidet, und von denen viele Menschen träumen es auch zu können. Mein Experten-Team, mit dem ich in Büchern zusammen arbeite, schätzt an mir, dass ich da absoluter Profi bin. Und sie folgen mir gerne.

Ich werde Dich einladen, Dich entweder an der Weiter-Entwicklung dieses Buches und seines Video- und Text-Blogs zu beteiligen oder gar ein eigenes Buch mit Dir zu machen. Dein Name wird plötzlich als der Name eines Experten und Vorbildes genannt werden.
Wir werden dabei nie das Rad neu erfinden; es wird immer darum gehen, Dich mit deinem Namen in die erste Reihe zu stellen. Denke über andere Beispiele nach.

9.4 Um Vorbild zu sein, musst Du noch üben?
Tun wir's gemeinsam.

Auch ich wurde nicht als Vorbild geboren, und habe jahrelang Zeit investiert. Ich hatte niemanden, der mich auf dem Weg, Vorbild zu werden, gefördert hat. Du hast jetzt jemanden.

Erschrick nicht, wenn ich von „jahrelang" rede. Das ist nichts, das ich Dir zumute. Und das wird auch nicht nötig sein, denn in Dir ist schon alles angelegt, was Du als Vorbild brauchst. Du brauchst nur jemanden, der die verborgenen Schätze in Dir hilft, auszugraben, sie zu reinigen, und eindrucksvoll zu präsentieren. Die Tatsache, dass Dir jemand, der den Weg schon gegangen ist, dabei hilft, wird vermeiden, dass Du Jahre brauchen wirst.

Üben wir also, die verborgenen Schätze zu finden und zu heben. Üben wir es, dass Du Dich mit Dir befasst. Üben wir, die dauernde Selbst-Kritik in Selbst-Anerkennung zu wandeln, und darauf stolz zu sein. Üben wir es, dass es nicht nur dein Traum ist, als Vorbild erkannt zu werden, sondern dass Du Dich auch so verhältst. Üben wir, dass Du der lebende Beweis bist.

Merkst Du was? Wir sind schon im Monat 9 unserer Challenge, und erst jetzt befassen wir uns mit größeren Themen. Vorher sind wir den einfachen Weg des geringsten Widerstandes gegangen und haben strahlende Resultate erzielt. Wir können also stolz auf unsere Resultate sein. Resultate sind das, was Menschen am ehesten beeindruckt.

https://Vorbild.ErlebnisErfolg.com

9.5 DAS ERLEBNIS „VORBILD".

*Bei uns geht es immer um er**LEBEN**. Und dazu sollst Du wissen, dass das Leben nicht zum Erörtern gedacht ist, sondern zum **Leben**! Und es kommt in erster Linie darauf an, dass andere Menschen, Dich als lebendig und erstrebenswert wahr nehmen.*

Ein Vorbild ist nicht deshalb ein Vorbild, weil er von einem Marketing-Coach gelernt hat, sich so aufzubauen. Es ist kein Vorbild, weil sein Mentor gesagt hat „Ab jetzt bist Du ein Vorbild". Er ist auch noch nicht zwingend eines, wenn sein Team es behauptet. Erst wenn er anfängt, Menschen massenweise anzuziehen, und um sich zu scharen, kann er vermuten, dass er den Meilenstein „Vorbild" auf seinem Weg erreicht hat. Das ist deshalb so wichtig, weil er dann immer weniger Zeit und Kraft in das Suchen von Menschen investieren muss. Menschen werden ihm zuströmen. Das nennt man das Gesetzt der Anziehung. Eines der wichtigsten Attribute dieses Gesetzes ist es, dass Du Vertrauen entwickeln musst und dass es immer und automatisch funktioniert. Du musst Dich nicht darum bemühen. Was werden wir also mit Dir tun, um anderen zu beweisen, dass Du Vorbild bist?

⮕

- Wir werden Dir einen Platz in unserem Buch und Blog geben.
- ... Dich als Online-Sprecher positionieren.
- ... Dich auf Live-Bühnen bringen.
- ... Dich als Gastgeber von Mix-Events aufbauen.
- ... Dich öffentlich als Mitglied unseres Experten-Teams zeigen.
- ... Dir eine Rolle in unserem „derLEADERSHIP.club" anbieten.

SIEGER ZWEIFELN NICHT.
ZWEIFLER SIEGEN NICHT.
Unbekannt, aber wahr.

Welche Frage möchtest Du mir jetzt zum **Monat 9** stellen? 🖊

Hier↑ notieren, hier↗ scannen und fragen. https://Leserservice.ErlebnisErfolg.com

MONAT 10
DAS POTENTIAL DER PARTNER
MULTIPLIZIEREN.

„Es kann deine Entscheidung für´s Leben sein;
für ein sorgenfreies Leben. "
Hans Janotta

10.1 DER ERSTE SCHRITT IST „VORMACHEN".

Das Einmalige an unserem Business ist, dass deine Ergebnisse nie nur das Ergebnis deiner Kraft sein werden, sondern immer die Ergebnisse deines ganzen Teams. Und diese Ergebnisse werden wesentlich größer sein als wenn Du Dich allein abmühst.

Ignoriere alle, die jetzt von „ausnutzen" oder „ausbeuten" faseln. Sie verstehen nichts davon. Eines soll Dir klar sein: Alle Aussagen, in diesem Buch über mich oder über Dich, gelten immer für alle gleich. Jeder hat die gleiche Chance; jeder kann die gleichen oder größere Ziele erreichen; jeder kann von sich sagen: „Wo ich bin ist oben" und etwas, zum Vormachen besitzen.

Und das ist wichtig, denn Menschen folgen Menschen, die etwas zum Vorzeigen haben. Und das machen Menschen nach. Ein bekannter Network-Trainer drückt das immer so aus: „Monkey see, monkey do". Wenn wir also wollen, dass Menschen Dinge nachmachen, Dinge, die zu großen Ergebnissen führen, dann müssen wir es vormachen. Glaube nie jemandem, der Dinge von Dir verlangt, die er selbst noch nie vor gemacht hat. Es ist Theorie. Was Du brauchst, und was dein Team braucht, ist Praxis, sind messbare Resultate. Und das am einfachsten zu messende Resultat ist Geld auf dem Konto. Und warum das wichtig ist drückte Rex Maughan so aus: *„Die meisten Krankheiten kommen von einem leeren Geldbeutel"*. Sorgen wir also dafür, dass wir Menschen vor machen, wie ein voller Geldbeutel zu erreichen ist. Und sie werden sich entspannen und gerne die nächsten Schritte tun.

https://Vormachen.ErlebnisErfolg.com

Der größte Fehler beim Aufbau eines Geschäftes ist, jeden Tag das Rad neu zu erfinden. Warum tun Menschen das? Weil sie gierig sind nach Bestätigung; und sie streben danach, eigene Ideen zu entwickeln und dafür bewundert zu werden. Die Wahrscheinlichkeit, als namenloser Künstler in die ewigen Jagdgründe einzugehen, ist groß.

Wir haben einfache Dinge vorgemacht, und wir haben Dich eingeladen, sie nach zu machen. Wir raten Dir dringend, dieses Prinzip fortzusetzen, und deine Partner einzuladen, das nach zu machen, was Du vor gemacht hast. Das nennt man Klonen.

Ist Dir klar, was das wichtigste Wort auf dieser Seite ist? Es ist der Begriff „ganz einfache Dinge". Menschen werde nur einfache Dinge verstehen, und nach machen. Schwierige Dinge sind ihnen zu schwierig. Woran liegt das?

- Es liegt daran, dass Menschen schon zu viel Kraft in schwierige Dinge investiert haben.
- ... dass die den Kopf voll haben mit anderen schwierigen Dingen, und nicht die Kraft haben, noch eines dazu zu nehmen.
- ... dass „schwierig" ein Verstoß gegen das Prinzip „Der Weg des geringsten Widerstandes" ist, und Menschen genau diesen Weg finden und dann auch gehen wollen.

Setzen wir also ganz einfache Dinge in die Welt (zum Beispiel leckere Cocktails mixen), und machen Menschen glücklich, dass sie das einfach nach machen können und werden.

10.3 DER DRITTE SCHRITT IST „WEITER-ENTWICKLUNG".

Menschen haben den Drang, sich weiter zu entwickeln, um die Entwicklung ihrer Größe zu spüren. Und das ist gut! Gut ist nicht, dabei den falschen Weg zu gehen; einfache Dinge kompliziert zu machen, und „lebenslänglich" die Schul-Bank zu drücken, ohne auch nur ein Resultat zu erzielen.

Ich komme aus dem betrieblichen Bildungs-Wesen, und weiß genau, was mit „lebenslangem Lernen" gemeint ist. Es ödet mich auf Dauer immer mehr an. Warum? Weil ich schon so viel weiß, ohne alles umgesetzt zu haben. Wissen reicht nicht um Ergebnisse zu erreichen. Dazu sind Entscheidungen und Taten notwendig. Wenn aber Menschen nur deshalb ewig weiter lernen, weil sie Angst haben, echt zu handeln, dann behindern sie sich selbst. Wenn sie es aber schaffen, einfache Dinge zu tun, um Großes zu erreichen, dann haben sie einen wunderbaren Schritt in ihrer Weiter-Entwicklung getan. Sie haben sich selbst bewiesen, dass ihr bisheriges Lernen nicht unnütz war. Sie haben selbst für eine wunderbare Bestätigung gesorgt.

Die einzige Weiter-Entwicklung, die ich heute für mich akzeptiere, fasse ich so zusammen:
* Was weiß ich? Was kann ich für meine Resultate brauchen?
* Habe ich es an meinen Zielen gemessen und umgesetzt?
* Habe ich Ergebnisse erzeugt, die mich lächeln machen?

Lass uns in unserer 12-Monats-Challenge „Weiter-Entwicklung" nie Selbstzweck sein, sondern dem Ziel „gesund, glücklich und frei" dienen.

10.4 Eine einfache Strategie der Multiplikation.

Menschen sind es nicht gewohnt, sich zu multiplizieren, weil unser Wirtschafts-System und Bildungs-Wesen auf Konkurrenz ausgerichtet sind. Also müssen wir den Menschen beibringen, etwas Einfaches für ihren persönlichen Nutzen zu tun.

Ich habe ein einfaches Konzept entwickelt, das sich eng an den einfachen Prinzipien von „Network-Marketing" orientiert.

- Ich habe dafür gesorgt, dass ich von den Produkten echt und nachhaltig begeistert bin.
- Ich habe mir den internationalen Weltmarkt-Führer als Lieferanten ausgesucht, der schon bewiesen hat, dass er stabil und zuverlässig ist, und pünktlich bezahlt.
- Ich habe ein Konzept entwickelt, das auf Simplizität und Genuss fokussiert ist, weil ich Menschen so leicht erreiche.
- Ich begeistere Menschen von diesem Konzept, dessen zentrale Aussage ist: *„Ich trinke einen Liter Aloe Vera-Saft pro Tag und finde 25 Menschen, die das nach machen".*
- Ich lade Dich ein, das nach- und mit zu machen.

Schwieriger ist es nicht. Der Weg ist einfach. Komm mit!

https://SpassGenuss.ErlebnisErfolg.com

10.5 Das Erlebnis „Durchbruch".

Ein Durchbruch ist ein Durchbruch durch einen Damm, der uns bisher behindert hat, unsere Felder zu bewässern.

Ich verspreche Dir eines: Wenn es uns beiden gelingt, einfach zu bleiben und durchzuhalten, werden wir den Durchbruch schaffen. Und nur wenn wir unsere Felder bewässern, werden sie massenweise Früchte tragen. Wir werden sie gemeinsam ernten und unser Leben hemmungslos genießen.

Der Durchbruch ist nichts, was wir entscheiden können. Wir können ihn nur erleben, indem wir zuverlässig durchhalten. Und Durch**bruch** bedeutet auch, der Bruch mit einem Leben im Mangel. Ein Leben auf der sonnigen Seite der Straße widerspricht dem Mangel. Und Mangel ist nichts Natürliches, nur etwas Angelerntes. Glaube nicht, dass diese Gesellschaft und unsere Politik interessiert sind, dass es Dir gut geht. Warum sollten sonst schlecht ausgebildete Kinder und Altersarmut einen Sinn machen? Gesellschaft und Politik wollen, dass Du angepasst im Gleichschritt der Herde mit trottelst.

Mein Ziel ist das nicht! Ich habe entschieden, Rebell zu sein! Und ich lade Dich ein, es für dein Wohl und das deiner Lieben, ebenfalls so zu entscheiden; mit ganz einfachen Verfahren.

Und dann werden wir auch deinen Durchbruch er**leben**.

BIST DU BEREIT, FÜR EINE VISIONÄRE IDEE DIE KONTROLLE ÜBER DEIN HANDELN ZU ÜBERNEHMEN?

Hans Janotta

Welche Frage möchtest Du mir jetzt zum **Monat 10** stellen? ✐

Hier↑ notieren, hier↗ scannen und fragen. https://Leserservice.ErlebnisErfolg.com

MONAT 11
DAS KRAFT DES TEAMS.

„Zu zweit schaffen wir das Vierfache;
zu viert das Sechzehnfache.
Warum aufhören?"
Hans Janotta

11.1 MENSCHEN MÖGEN.

Ein Geschäft, das auf Menschen angewiesen ist, muss diese Menschen in den Vordergrund stellen. Und um das gerne und permanent zu tun, muss man Menschen mögen. Und um sie zu mögen, darf man keine Angst vor ihnen haben.

Angst vor Menschen, was ist denn das? Möglicherweise stellst Du Dir diese Frage auch. Ich habe sie für mich beantwortet. Ich habe keine Angst vor Menschen. Im Gegenteil, ich genieße es, immer wieder neue Menschen kennen zu lernen; heraus zu finden, ob die Frequenz überein stimmt; und das wunderbare Projekt anzugehen, mit diesen Menschen Großes zu erreichen.

Ich hätte selbst genügend Gründe, Menschen aus dem Weg zu gehen, denn ich habe in meinem Unternehmer-Leben schon so viele Idioten kennen gelernt. Aber es war doch nicht deren Schuld, so zu sein, wie sie sind. Es war meine Verantwortung, sie in meine Nähe zu lassen. Es war meine Verantwortung, mit ihnen zu kämpfen; es war meine Verantwortung, darunter zu leiden.

Heute weiß ich, dass mir niemand von diesen Menschen etwas angetan hätte, wenn ich mich umgedreht hätte und weg gegangen wäre. Ich habe es nicht getan; meine Entscheidung.

Heute habe ich einfache Kriterien entwickelt, vorher heraus zu finden, ob mir jemand gut tut, und wir uns beide eine gemeinsame Zukunft vorstellen können. Ich werde Dir beibringen, wie wir uns so organisieren, dass wir unsere Business-Freundschaft leben können und einander Mehrwert sind.

11.2 POTENTIALE SCHÄTZEN.

Jeder Mensch hat wertvolle Potentiale. Trotzdem gibt es viele Berater und Coaches, die glauben, ihre eigenen Potentiale seien die einzig wichtigen für den Erfolg. Es ist nicht so!

Dass wir uns in unserem Geschäft damit befassen sollten, die Potentiale der Menschen, die uns vertrauen, heraus zu finden und weiter zu entwickeln, haben wir besprochen. Es ist in erster Linie wichtig, dass wir deren Potentiale schätzen können. Menschen werden nicht erfolgreich sein, wenn wir ihnen unsere Potentiale über stülpen, und uns zum Maß aller Dinge machen. Wie soll ein Mensch Anerkennung spüren, wenn wir ihm sagen: „Du genügst mir nur, wenn Du eine Kopie meiner wirst". Lächerlich!

Entscheide, ob Du mit einem Menschen arbeiten willst, der andere Stärken hat als Du. Entscheide, ob Du die große Aufgabe angehen willst, diesen Menschen kennen zu lernen und zu schätzen. Entscheide, ob Du Dich umdrehst und gehst.
Ganz klar wird es Menschen geben, bei denen ist Umdrehen und weg Gehen die einzig sinnvolle Entscheidung. Wenn Du aber mit ihm arbeiten willst, dann entscheide, jeden Aspekt seiner Persönlichkeit zu schätzen. Und dann verhalte Dich auch so.

Nur dann wirst Du eine Kraft in dein Team bringen, die Du auch achtlos hättest liegen lassen können. Und nur so wirst Du Menschen in deinem Team unterstützen können, die diese Eigenschaften mehr schätzen können als Du.

https://Potentiale.ErlebnisErfolg.com

11.3 Die Bühne ist noch immer offen.

Ganz am Anfang haben wir über die offene Bühne gesprochen, die ich für Dich gebaut habe. Sie ist noch immer für Dich offen.

Eine Bühne ist ein wunderbarer Ort, Menschen zum Lächeln zu bringen, und Anerkennung zu bekommen. Und genau das wollen viele Menschen. Du auch im Geheimen.

Nur wird die Bühne nicht zu Dir kommen: Du musst eine Karte lösen, hingehen, Dich setzen, und bereit sein, auch anderen Beifall zu zollen. Wenn sie Dich dann auf die Bühne bitten, kannst Du sicher sein, ebenfalls Beifall zu bekommen. Dafür habe ich Dir eine Bühne gebaut. Was könntest Du auf meiner Bühne tun?

* Du könntest Dich als Gast bei meinen Vorträgen anmelden.
* Du könntest Dich an der F&A-Runde beteiligen und sichtbar werden.
* Du könntest selbst auf der Bühne deinen Beitrag leisten.
* Du könntest deine eigenen Genuss-Ideen präsentieren, und die Bewunderung der Gäste bekommen.
* Du könntest mit mir an diesem Buch weiter arbeiten.
* Du könntest als Gastgeber deiner Gäste auftreten und Dir meiner Anerkennung sicher sein.
* Du könntest Dich für deine Gäste zum Star entwickeln.
* Du könntest einen unserer *SunnySide*-Oscars bekommen.

Und ich garantiere Dir, dass uns Weiteres einfallen wird.

https://BuehneOffen.ErlebnisErfolg.com

11.4 MUSST DU DEINE EIGENE BÜHNE BAUEN?

Selbst eine Bühne zu bauen, ist ungefähr so sinnvoll, wie das Rad neu zu erfinden. Du könntest das Rad aber einfach nur nutzen.

Wenn Du zu Beginn planen solltest, gleich eine eigene Bühne zu bauen, werden wir alles tun, um Dir das auszureden, denn Du kannst sicher sein, dass das aufwendig ist.

Wenn Du später, nach dem Erleben eigener messbarer Erfolge deine eigene Bühne bauen willst, werden wir Dich fragen, was Dir lieber ist, das Genießen von Freiheit oder das Erfinden neuer Räder.

Und wenn Du es trotzdem tun möchtest, werden wir Dich unterstützen, damit Du auch dabei wenigstens den Weg des geringsten Widerstandes gehst. Das würden wir deshalb tun, weil wir ja schon beschlossen hatten, deine Potentiale zu schätzen.

Also, nein Du musst keine eigene Bühne bauen.
Und Du solltest es nicht tun.
Aber, wenn Du es nicht lassen kannst, wirst Du Freunde an deiner Seite haben, ...

...weil wir nie Worte wählen, die größer sind als die Schritte, die wir hinterher tun müssen.

11.5 DAS ERLEBNIS „PASSIVES EINKOMMEN".

Es gibt Network-Berater, die behaupten, dass so etwas wie passives Einkommen ein Märchen sei und es so etwas nicht gäbe. Es ist falsch. Natürlich gibt es das; natürlich kann ich es beweisen; natürlich darfst Du trotzdem immer entscheiden, ob Du passiv sein willst, oder der Umgang mit immer neuen Menschen einfach Spaß macht.

Was bedeutet passives Einkommen? Das ist ganz einfach: *Ein passives Einkommen ist ein Einkommen, das bleibt oder gar wächst, selbst wenn Du dafür nichts mehr oder wenig tust*. Klingt das nicht traumhaft? Zwei Probleme dabei sind, …

- …dass Menschen glauben, das ginge sofort,
- …und Menschen erzählt wird, das ginge einfach und schnell.

Das tun unseriöse Network-Sponsor-Lehrlinge nur, weil sie sich scheuen zu sagen, dass Network-Marketing im Allgemeinen, und das passive Einkommen im Speziellen Arbeit ist; Arbeit, die Zeit brauchen wird. Punkt.

Aber eines verspreche Dir die jetzt in die Hand: Wenn Du es erreicht hast (und das wird gehen), dann hast Du einen guten Grund, dieses Erlebnis hemmungslos zu genießen. Ich kenne Menschen, die haben es erreicht. Und ich garantiere Dir, dass die kein Problem mit „das Leben genießen" haben. Lass uns dieses wunderbare Freiheits-Gefühl auch haben wollen, …

…und entsprechend handeln. Ich bin an deiner Seite.

**LEBEN WAR NIE ALS KAMPF GEDACHT,
MEHR WIE EIN WANDERN
DURCH EIN SONNIGES TAL,
VON EINEM PUNKT ZUM NÄCHSTEN.**
Stuart Wilde

Welche Frage möchtest Du mir jetzt zum **Monat 11** stellen? 🖉

Hier↑ notieren, hier↗ scannen und fragen. https://Leserservice.ErlebnisErfolg.com

MILE ™

0

https://BeiNullbeginnen.ErlebnisErfolg.com

KEY WEST

MONAT 12
BEI NULL BEGINNEN.

„Nur das ´Null` bei uns nie mehr
´ganz unten` bedeutet."
Hans Janotta

Die Geschichte von den 500 Bäumen.

https://500Baeume.ErlebnisErfolg.com

12.1 Das Erlebnis, professionelles Vorbild zu sein.

Und jetzt kommen wir zur größten und schwierigsten Herausforderung in einem Network-Geschäft, die uns begegnen kann, nämlich loslassen und bei Null beginnen.

Einer meiner Upliner sagt immer: „Wachstum gibt es nur durch Neue". Und er hat recht. Das hat aber ganz eindrucksvolle Konsequenzen. Wir haben ja hier schon gelesen, dass es für jeden gilt wenn er sagt: „Wo ich bin ist oben". Wenn wir das ernst meinen, müssen wir auch die Kraft haben, Menschen, die wir ein Jahr lang geführt haben, frei zu lassen, und ihnen zuzugestehen, dass sie ihren eigenen Weg gehen. Und nur wenn Menschen ihren eigenen Weg gehen, werden wir den Freiraum bekommen, uns mit neuen Menschen befassen zu können. Und nur wenn wir uns mit neuen Menschen befassen, wird unser Business wachsen.

Das bedeutet, dass wir für unser Geschäft den Reset-Knopf drücken; uns an den Anfang unseres Team-Aufbaus beamen; und diesen neuen Menschen die gleiche Fürsorge zukommen lassen, wie denen, die wir gerade los lassen. Die, die wir los lassen, sind schon in der höchsten Stufe angekommen, und wollen ihren Partnern nun ebenfalls zeigen, dass die das auch können. Sie entwickeln sich in die Tiefe des Bonus-Planes. Wir bauen weitere 25 Menschen in unserer First-Line auf, und entwickeln uns dadurch in die Breite. Tiefe bedeutet bei uns Volumen; Breite bedeutet Sicherheit.
Wenn wir das gemeinsam schaffen, werden wir als große und professionelle Vorbilder wahrgenommen werden.

NIE MIT SICH ZUFRIEDEN SEIN.
AUF PERFEKTE AUSRÜSTUNG ACHTEN.
KEINE KOMPROMISSE SCHLIEßEN.
SEIN ZIEL VERFOLGEN.
AN DEN ERFOLG GLAUBEN.
UND WIEDER VON VORNE BEGINNEN...

Werbespot von SIEMENS

Welche Frage möchtest Du mir jetzt zum **Monat 12** stellen? ✏

Hier↑ notieren, hier↗ scannen und fragen. https://Leserservice.ErlebnisErfolg.com

DAS ERLEBNIS EINER STARKEN ENTSCHEIDUNG.

Jetzt kommt dein großer Augenblick. Nämlich der Augenblick, an den Du entscheidest, jetzt sofort einen Online-Termin mit mir zu machen, und Dir hinterher die Frage zu beantworten, ob es ein Erlebnis war.

https://ZoomTermin.ErlebnisErfolg.com

Bei der Reservierung des Termines kannst Du auch denjenigen angeben, der Dir zu diesem Buch verholfen hat. Wir werden deine Termin-Anfrage verlässlich weiter leiten.

Wir nehmen uns für das erste Gespräch ausreichend Zeit. Damit Du einen Eindruck von uns und wir einen von Dir bekommen.

Wir werden alles dafür tun, dass sich in diesem Gespräch Menschen begegnen, und Du das Gespräch als Erlebnis empfindest.

Es könnte eine Entscheidung für Dich sein, nach der Du einen Weg begehst, der zu einer strahlenden Zukunft führt.

Herzlich willkommen bei uns.

Hast Du schon mal etwas geschenkt bekommen? Und hat Dich das ge-freut? Kannst Du Dir vorstellen, dass es den Schenkenden auch gefreut haben könnte? Siehst Du, so einfach geht es, sich selbst zu erfreuen.

In diesem Projekt und in dieser Challenge werden wir uns mit „Verschenken" befassen. Und wir werden Dich anregen, es uns nach zu machen, und deine Partner zu erfreuen. Dazu haben wir viele und ganz verrückte Ideen. Aber alle unsere Ideen sind gemacht, um Menschen zu erfreuen. So einfach baut man starke Beziehungen.

BEIM NETWORK-MARKETING
GEHT ES UM BEZIEHUNGEN! PUNKT.

Joe Rubino

Welche Frage möchtest Du mir jetzt zu **den Geschenken** stellen? ✎

Hier↑ notieren, hier↗ scannen und fragen. https://Leserservice.ErlebnisErfolg.com

DIE 12-MONATS-CHALLENGE.

Es ist mir nie wichtig, nur weise Theorien zu verbreiten, so wie oft üblich. Das einzige, woran ich im Business wirklich interessiert bin, sind messbare Resultate. Ich sage dazu immer: „Das am einfachsten zu messende Resultat ist Geld auf dem Konto". Es geht nicht um vordergründig „Geld verdienen"; es geht um deinen Beitrag zu deiner Freiheit. Und machen wir uns nichts vor, in unserem Wirtschafts-System führen Einkommen und Vermögen zu Unabhängigkeit und Freiheit.

Ich habe deshalb das Programm ERLEBNIS ERFOLG als Praxis-Challenge aufgezogen. Jeder, der meiner Challenge-Community beitritt, wird von mir persönlich 12 Monate lang begleitet, um für ihn die besprochenen Resultate zu erzielen. Die Praxis-Themen mit meiner Begleitung:

1. Monat: Der 1. Schritt zum Erfolg: Einmal am Tag jemanden einladen.
2. Monat: Den Fokus finden und halten.
3. Monat: Ein kleines Portfolio an Hilfs-Mitteln kennen lernen.
4. Monat: Hier arbeiten Freunde professionell zusammen.
5. Monat: Das Leben genießen, wo immer wir es erwischen.
6. Monat: Die richtigen Menschen zulassen.
7. Monat: Kunde oder Unternehmer?
8. Monat: Die zweite Ebene aufbauen.
9. Monat: „Verhält sich mein Gegenüber so als ob er wirklich will?"
10. Monat: Lebenslang viel lesen und wenig umsetzen.
11. Monat: Eigene Events, sinnvoll oder tödlich?
12. Monat: Bei Null beginnen.

https://EEC.ErlebnisErfolg.com

Wir werden für Dich auf der Seite...

www.ErlebnisErfolg.com
...the fine art of success.

...erreichbar sein. Von dort aus findest Du zu allen unseren Partnern, Angeboten, Terminen, Social-Media-Gruppen, Video-Kanälen, Podcasts, Blog und allem, was uns in Zukunft noch einfallen wird. Und dort werden deine Partner auch Dich finden.

Im Impressum dieser Seite, findest Du unsere Kontakt-Daten.
Ein Projekt des

SunnySide.NETWORK
Hans Janotta

...die mit der roten Fliege.

Lightning Source UK Ltd.
Milton Keynes UK
UKHW020750020821
388172UK00012B/1079